EDGAR
ALLAN
POE

MATERIAL COMPLEMENTAR
ACESSE AQUI

Copyright da tradução e desta edição ©2021 por Fabio Kataoka

Título Original: The Gold-Bug
Textos originais de domínio público. Reservados todos os direitos desta tradução e produção.

Direitos reservados e protegidos pela lei 9.610 de 19.2.1998.
Nenhuma parte deste livro pode ser reproduzida, arquivada em sistema de busca ou transmitida por qualquer meio, seja ele eletrônico, xérox, gravação ou outros, sem prévia autorização do detentor dos direitos, e não pode circular encadernada ou encapada de maneira distinta daquela em que foi publicada, ou sem que as mesmas condições sejam impostas aos compradores subsequentes.
2ª edição, 2ª Impressão 2022

Presidente: Paulo Roberto Houch
MTB 0083982/SP

Coordenação Editorial: Priscilla Sipans
Cordenação de arte: Rubens Martim (capa)
Imagens de capa: Shutterstock
Tradução e preparação de texto: Fabio Kataoka
Revisão: Valéria Paixão
Diagramação: Rogério Pires
Ilustrações: páginas 6, 20, 38, 58, 74, 94, (Harry Clarke); 50 (Arthur Rackham); 104 (Odilon Redon/ The Stickney Collection/ The Art Institute of Chicago; 134 (Arte para pôster da adaptação de The Oblong Box para cinema, produzida pela American International Pictures. A ilustração foi baseada na arte de Harry Clarke, do Conto The Premature Bural).

Vendas: Tel.: (11) 3393-7727 (comercial2@editoraonline.com.br)

Impresso no Brasil.
Foi feito o depósito legal.

Dados Internacionais de Catalogação na Publicação (CIP) (eDOC BRASIL, Belo Horizonte/MG)	
P743e	Poe, Edgar Allan. O escaravelho de ouro / Edgar Allan Poe. – Barueri, SP: Camelot, 2021. 15,1 x 23 cm ISBN 978-65-87817-73-6 1. Ficção americana. 2. Literatura americana – Contos. I. Título. CDD 813
Elaborado por Maurício Amormino Júnior – CRB6/2422	

Direitos reservados ao
IBC – Instituto Brasileiro de Cultura LTDA
CNPJ 04.207.648/0001-94
Avenida Juruá, 762 – Alphaville Industrial
CEP. 06455-010 – Barueri/SP
www.editoraonline.com.br

SUMÁRIO

Introdução	5
O Escaravelho de Ouro The Gold-Bug, 1842	7
O Barril de Amontillado The Cask of Amontillado, 1846	21
Tu és o homem Thou art the man, 1844	26
O Enterro Prematuro The Premature Burial, 1844	37
Hop-Frog Hop-Frog Or the Eight Chained Ourang-Outangs, 1849	49
William Wilson William Wilson, 1839	57
O Sistema do Doutor Breu e do Professor Pena The System of Doctor Tarr and Professor Fether, 1845	75
O Demônio da Perversidade The Imp of the Perverse, 1845	89
Revelação Magnética Mesmeric Revelation, 1844	95
Um Homem na Lua The Unparalleled Adventure of One Hans Pfaall, 1835	105
O Caixão Quadrangular The Oblong Box, 1844	135

INTRODUÇÃO

Edgar Allan Poe é considerado "O pai dos contos de terror". Foi um dos precursores da literatura fantástica. Poe ficou conhecido pelo mistério que suas obras carregam. Neste volume, selecionamos 11 contos desse extraordinário autor. As histórias não estão interligadas, mas cada uma leva o leitor a esse mundo fantástico criado por Poe. Neste volume, o leitor terá a oportunidade de ler um dos seus mais famosos contos: O Escaravelho de Ouro, que conta uma história cheia de enigmas e mostra a aventura de um homem que desvenda o mistério de um tesouro enterrado por um pirata há muitos anos. Além da narrativa enigmática, o autor aborda outros temas como a morte, doenças, ficção científica e situações aparentemente sobrenaturais, mas resolvidas por meio da lógica. Do primeiro ao último conto, Allan Poe colocou todo o seu espírito sombrio e criativo. Embora possa causar calafrios nos leitores, mostra sua notável genialidade como escritor.

O ESCARAVELHO DE OURO

The Gold-Bug, 1842

William Legrand descendia de uma velha família adepta do protestantismo, que fora muito rica. Para fugir às consequências da decadência, partiu de Nova Orleans para a ilha de Sullivan, próximo a Charleston, na Carolina do Sul.

Essa ilha é singular; possui um banco de areia de três milhas de comprimento e um quarto de milha de largura, é separada do continente apenas por uma faixa de mar muito estreita. A vegetação da ilha era delgada se limita a arbustos, onde proliferam galinhas d'água. Nenhuma árvore pode ser vista na ilha. Perto da extremidade oeste, fica o forte Moultrie, onde estão algumas cabanas de estrutura miseráveis, alugadas, durante o verão, pelos fugitivos da poeira e das doenças de Charleston.

Legrand construiu na extrema ponta oriental uma pequena casa de tábuas, onde me habituei a visitá-lo, porque tinha por ele uma verdadeira amizade. Ele tinha como distrações a caça, a pesca, alguns livros e uma coleção de conchas e insetos. Tinha como único companheiro um criado, o velho Júpiter, que servira seu pai e era fiel como um cão.

Os invernos na Ilha de Sullivan raramente são muito severos e, no outono o frio é incomum. No dia 18 de outubro, ocorreu, porém, um dia de notável frio. Pouco antes do pôr do sol, segui meu caminho entre as sempre-vivas até a casa de meu amigo, que não visitava há várias semanas, minha residência era, na época, em Charleston, a uma distância de 14 quilômetros da ilha. Nesse dia, encontrando a casa de Legrand vazia, sem cerimônia me instalei, pois nossa intimidade me permitia, fiz café e escolhi um livro para passar o tempo. Meu amigo e Júpiter só chegaram ao cair da noite, e trouxeram duas galinhas d'água para o jantar.

Demonstraram uma sincera alegria ao ver-me, e perguntei por sua famosa coleção de insetos, Legrand exaltou-se, e me disse que capturara na véspera um exemplar raro, talvez único no mundo, um escaravelho enorme, colossal e tinha cor de ouro.

— Cor de ouro, não, senhor... ele é de ouro mesmo — disse Júpiter — Esse escaravelho é de ouro mesmo.

— Louco! — disse Legrand, dando de ombros. — De fato esse animal é singularmente pesado... então, ele pensa que é de ouro. Mas, imagine que, não podendo supor que o ia encontrar aqui, deixei o precioso inseto com o tenente do forte, que me pediu para fotografá-lo. Mas amanhã irei buscá-lo. Vou tentar desenhá-lo, para que você tenha uma ideia.

Sentou-se em uma pequena mesa e molhou a pena no tinteiro. Mas procurou em vão um pedaço de papel no meio dos livros. Então procurou nos bolsos e acabou achando uma folha em branco, embora bastante suja.

— Ora! — disse ele depois de hesitar um instante. — Ficou parecido.

Riscou rapidamente um desenho e me entregou. Quando, porém, eu o tomava entre os dedos, Júpiter abriu a porta do canil e Gog, o cachorro de Legrand, que era meu amigo, veio, aos saltos, e com tal ímpeto que deixei cair o papel. Quando o apanhei e olhei, fiquei estupefato.

— Que diabos de escaravelho você desenhou aqui? Parece uma caveira!

— Como? — indagou Legrand. — Uma caveira?

Olhou para o desenho e, surpreendido, deteve-se a fitá-lo. Houve então em seu rosto uma série de transformações. Corou, empalideceu... depois observou atentamente o papel à luz da lâmpada e, sem uma palavra, foi se sentar em cima de uma mala, colocada no outro extremo da sala, tentando se isolar com seus pensamentos.

Então guardou na carteira o papel com muito cuidado, como se fosse uma coisa muito preciosa.

Ficou mais calmo, mas pediu-me desculpas de sua abstração, com ar tão absorto, que desisti de interrogá-lo.

O temperamento extrovertido de Legrand parecia ter desaparecido. Continuava a me tratar com a cordialidade de costume, mas estava muito distraído e, quanto mais os minutos corriam, mais ele parecia preocupado.

Não falamos em nossos projetos para o dia seguinte. Eu me despedi e ele nada fez para me deter ali. Mas fiquei com a impressão de que ele me abraçava com mais afeto e entusiasmo do que nunca.

***

Quase um mês se passou, e eu não tive notícias de Legrand, quando, um dia, tive a surpresa de ver o velho Júpiter aparecer em minha casa.

— Olá! Tudo bem? — perguntei. — Que veio fazer em Charleston?

— Fazer compras e trazer uma carta para o senhor — respondeu-me o bom criado, colocando no chão, com esforço, um embrulho enorme, que tiniu como som de metal.

— E como está seu patrão? — perguntei, abrindo a carta.

— Ah! meu senhor... — disse Júpiter, coçando a cabeça, com embaraço. — Parece que não está bem.

— Não está bem de quê?

— Da... da cabeça... me desculpe. E tudo por causa daquele maldito escaravelho.

— Que escaravelho... Ah!... o tal de ouro? Mas que tem ele com a cabeça de Legrand?

— Ah!... eu não sei, meu senhor; mas depois que achou aquele bicho maldito é que meu senhor deu pra viver calado, passa a noite inteirinha escrevendo números... e passa dias inteiros fora de casa, sem que eu saiba onde ele anda.

— Tudo por causa do escaravelho?

— Desde o dia em que ele apareceu... o excomungado! — afirmou o criado. — O senhor quer a prova? O escaravelho é de ouro. Agora, meu senhor, até deu para falar sozinho... e só fala em ouro.

— Me explique melhor.

— Eu ouvi, meu senhor, eu ouvi...

— Bom — disse eu, desanimando de compreender. — Vamos ver o que ele diz na carta.

A carta dizia assim:

Meu caro amigo,

Como está você? Por que não o vi mais por todo esse tempo? Espero que você não tenha sido tolo a ponto de se ofender com alguma rispidez minha.

Desde que nos vimos tenho grandes motivos para me inquietar. Tenho algo para lhe contar, só que mal sei como fazê-lo, ou se deveria mesmo contar.

Não tenho estado muito bem nos últimos dias, e o pobre Júpiter fica me aborrecendo, até o limite do suportável, com suas preocupações comigo. Outro dia ele pegou uma vara comprida para me castigar, porque eu escapei de sua vigilância e passei o dia sozinho nas colinas. Creio que minha aparência doentia me salvou do castigo.

Não fiz nenhum acréscimo à minha coleção desde que nos encontramos.

Por isso, se não está muito ocupado, venha com Júpiter. Preciso de sua presença esta noite, para um negócio muito importante.

Sempre seu,
William Legrand

Fiquei assustado. Que negócio muito sério poderia ser esse, para o qual minha presença era indispensável? Pelo que Júpiter me dissera, eu comecei a me preocupar com as faculdades mentais do meu amigo.

— Que compras foram essas, que você vem fazer?

— Meu senhor mandou comprar foices, pás, enxadas... Para que será tudo isso, meu Deus! Eu não sei.

Cada vez mais preocupado, preparei-me rapidamente para ir com o velho Júpiter.

Chegamos por volta de três horas da tarde. Legrand, que parecia impaciente, veio ao nosso encontro, com uma vivacidade, que aumentou minhas suspeitas. Mas, como só falava em generalidades, parecendo não saber como começar o assunto, perguntei pelo escaravelho.

— Ah!... — exclamou ele, com um olhar suspeito. — Sabe que, afinal, quem tinha razão era Júpiter?

— Como?

— Esse animal é mesmo de ouro.

Pronunciou essas palavras com ar tão sério, que fiquei atônito.

— De ouro — repetiu Legrand, com um sorriso triunfante. — E ele vai fazer minha fortuna. Mas venha cá. Você ainda não o conhece...

Levou-me até uma pequena mesa de mármore onde o escaravelho estava preso sob uma tampa de vidro. Era mesmo um animal soberbo, dourado, com duas manchas negras nas costas e outra na cabeça.

— Mandei chamá-lo para que me aconselhe sobre o destino do escaravelho.

Disse isto num tom enfático.

Não podendo mais conter meu espanto, tomei-o por um braço e disse-lhe ao ouvido:

— William... você está nervoso... um pouco exaltado. Por que não se deita para descansar um pouco?

Ele desatou a rir, com ar cômico e com seu olhar tão vivaz, que não me atrevi a insistir. Então ele pousou as mãos sobre meus ombros e, disse:

— Tranquilize-se, amigo. Eu estou perfeitamente são de corpo e de espírito; apenas um pouco ansioso com a ideia da expedição, que vamos empreender às colinas do litoral. Como precisava, para levá-la a êxito, de um companheiro em quem pudesse confiar, lembrei-me de você. Estou certo?

— Absolutamente certo, respondi num ímpeto de amizade sincera.

— Então não percamos tempo — continuou Legrand. — Mesmo partindo agora, precisamos passar toda a noite fora e só poderemos estar de volta ao amanhecer.

— Mas não me dirá?... — balbuciei.

— Pergunte ao escaravelho. Ele sabe — respondeu-me Legrand com um sorriso inexplicável, que me deixou ainda mais perplexo.

Como conciliar os desatinos, que meu amigo dizia, com a lucidez de seu olhar? Em todo caso, acompanhei-o, com o coração apertado. O velho Júpiter ia na frente, carregando as foices e enxadas; o cachorro seguia-nos, aos saltos.

Eu levava duas lanternas; quanto a Legrand, levava o famoso escaravelho preso a um rolo de barbante, fazendo-o girar no ar. Algumas vezes, tentei esclarecer o motivo de nossa expedição. Ele se limitava a dizer:

— Veremos.

Atravessamos o riacho na ponta da ilha por meio de um bote e, subindo os terrenos elevados na costa do continente, seguimos na direção noroeste, por um trecho excessivamente selvagem e desolado, onde nenhum vestígio de uma pegada humana foi vista. Legrand abriu o caminho com determinação; parando apenas por um instante, aqui e ali, para consultar o que pareciam ser alguns marcos de sua própria invenção em uma ocasião anterior.

Depois de duas horas de caminhada, subimos a uma elevação do terreno, e Legrand murmurou:

— Você sabia que todo esse território já foi propriedade da minha família? Está arruinada, mas ainda sólida e imponente, a casa que meu avô construiu.

Olhei na direção que ele me indicava e vi a casa, mas que parecia abandonada.

O sol estava se pondo quando entramos em uma região infinitamente mais sombria do que qualquer outra já vista. Era uma espécie de tabuleiro próximo ao cume de uma colina quase inacessível, densamente arborizada da base ao cume e intercalada por enormes penhascos que pareciam estar soltos no solo e, em muitos casos, eram impedidos de precipitar-se nos vales abaixo, apenas pelo apoio das árvores contra as quais se reclinavam. Desfiladeiros profundos, em várias direções, davam um ar de solenidade ainda mais opressiva à cena.

Júpiter abriu uma vereda em direção a uma árvore gigantesca, no meio de outras, mas passando muito acima de todas.

Quando chegamos próximo a essa árvore, Legrand ordenou ao criado que subisse por ela até o início dos galhos.

— Quando chegar lá, eu lhe direi o que terá a fazer. Leve o escaravelho com você.

— Eu, meu senhor? — indagou o velho criado, recuando, com visível temor.

— Não seja medroso. Então você tem medo de um bicho tão pequeno? Leve-o seguro pelo barbante.

— Mas para quê? — perguntei eu.

— Porque é preciso — disse Legrand, sem mais explicações.

Entretanto, com obediência, Júpiter enrolou o barbante ao cinto e começou a subir pelo tronco, com agilidade notável. Chegando ao primeiro galho horizontal, que ficava talvez a uns vinte metros de altura, parou para descansar.

— Muito bem! — gritou Legrand. — Agora siga pelo galho principal... esse que está aí à direita.

O criado, obedecendo, desapareceu entre a folhagem.

— Onde está você? — gritou meu amigo, após alguns instantes.

— Alto, muito alto — respondeu a voz abafada de Júpiter.
— Quantos galhos secundários você já passou?
— Cinco.
— Vá até o sexto e siga por ele — gritou Legrand, exaltado.
Esperou talvez um minuto... e ouviu-se um grito de pavor do velho criado...
— Oooh... meu Deus... misericórdia!
— Que é? — perguntou com um riso triunfante.
— Uma caveira. Há aqui uma caveira presa ao tronco por um grande prego. Que terror!
— Isso não tem importância. Alguém esqueceu a cabeça ali e prendeu-a para não cair. Preste bastante atenção para fazer bem direitinho o que eu vou dizer. Está ouvindo?
— Estou, sim senhor.
— Enfie o escaravelho no olho direito da caveira e deixe o barbante correr até o fim.

Esperamos um instante e vimos o barbante surgir abaixo da folhagem com o escaravelho cintilando na ponta. Imediatamente, Legrand apoderou-se de uma foice e começou a limpar a terra em um círculo de duas ou três jardas de diâmetro, exatamente por baixo do lugar de onde o inseto estava pendurado. Ordenou a Júpiter que deixasse o inseto cair e descesse da árvore. Depois marcou com um pedaço de madeira o lugar onde o escaravelho caíra, tirou do bolso uma trena, amarrou-lhe a ponta ao tronco da árvore e desenrolou-a, tomando como rumo a marca de madeira, até uma distância de dez metros; aí, espetou um novo pedaço de madeira e, traçando em torno um círculo de um metro de diâmetro, pediu-nos que o ajudássemos e começou a cavar furiosamente. Mal-humorado, eu o ajudei. Além de não gostar de tal serviço, estava cansado da caminhada, também estava irritado com as maneiras de Legrand e não tinha mais dúvida sobre seu desequilíbrio mental. Se pudesse contar com a ajuda de Júpiter, em vez de me prestar àquele trabalho imbecil, teria terminado com aquela comédia estúpida, levando-o para casa e obrigando-o a ficar na cama.

Mas não podendo fazer outra coisa, comecei a manejar a enxada à luz das lanternas que acendi, porque já estava anoitecendo.

Trabalhamos assim exaustivamente, durante cerca de duas horas, sem uma palavra, e isso era o que mais me aborrecia. Estávamos a mais de um metro de profundidade, sem encontrar nada. Estava claro que meu amigo, impressionado com o escaravelho, que parecia de ouro, imaginava encontrar algum tesouro oculto.

Em certo momento, eu disse:
— Você não vê que estamos perdendo nosso tempo?

Ele limitou-se a enxugar a testa com ar preocupado e recomeçou a escavação alargando o diâmetro em um ou dois palmos.

Mas, depois de mais meia hora de esforços, ele desanimou. Saiu do buraco, vestiu o casaco, evidentemente disposto a abandonar a tentativa. De súbito, porém, bateu na testa e, voltando-se para nós com ar enfurecido, disse:

— Foi este criado imbecil que estragou tudo. Garanto que ele não deixou o barbante escorrer pelo olho direito da caveira.

— Eu... eu... — balbuciou o velho Júpiter.

— Você é um asno! — gritou Legrand, sapateando de raiva. E explicou-me:

— Esse idiota é canhoto... por isso, errava sempre que se trata de determinar o direito ou o esquerdo. E eu sou outro tolo, porque esqueci disso.

O criado, embaraçado, sacudia as mãos, alternadamente, tão perturbado, que não se atrevia a dizer nada.

— Você viu? — perguntou Legrand — Ele nem sabe qual é a mão direita.

— A mão eu sei... mas caveira não tem mão — alegou o criado.

— Precisamos recomeçar — disse meu amigo, trêmulo de raiva.

Correu até a árvore. Pegou a marca de madeira, colocou-a uns vinte centímetros para um lado, desenrolou a trena e mediu de novo dez metros na nova direção, que o levou a várias jardas do buraco que havíamos feito. Nesse ponto, traçou um círculo maior do que o primeiro e começou a cavar vigorosamente.

Não se atreveu a me pedir ajuda; mas, embora terrivelmente fatigado, imitei-o.

Tinha certeza de que tudo aquilo era uma enorme tolice, mas não tinha coragem para abandonar Legrand. Tinha medo de exaltá-lo ainda mais... provocar-lhe talvez um acesso de raiva.

De repente, o cachorro, que havia já alguns momentos começado a rosnar de modo estranho, saltou para a escavação e começou a cavar a terra.

Legrand precipitou os movimentos e, de repente, surgiram ossos, muitos ossos humanos, formando pelo menos dois esqueletos.

Meu amigo recolheu e colocou de lado, respeitosamente, esses tristes despojos, e continuou a cavar.

Apareceram então, sucessivamente, uma grande faca espanhola, duas pistolas enferrujadas, três ou quatro moedas de ouro. Fiquei sem palavras. Júpiter juntava as mãos e benzia-se. Legrand festejou:

— Eu não te disse que o escaravelho era mesmo de ouro e ia fazer minha fortuna? Mas não percamos tempo.

Agora trabalhávamos com a maior determinação, e nunca em minha vida passei dez minutos em excitação tão intensa. Nesse intervalo, já tínhamos desenterrado por completo um baú retangular de madeira que, pelo estado de preservação notável e pela solidez assombrosa, claramente havia sofrido algum processo de mineralização, talvez por ação do bicloreto de mercúrio. O que vimos, então, nos deixou assombrados e delirantes. A caixa tinha um metro de comprimento, noventa centímetros de largura e 75 centímetros de altura. Era firmada por tiras rebitadas de ferro trabalhado que formavam uma espécie de treliça aberta em todo o conjunto. Em cada lado do baú, perto da tampa, havia três argolas de ferro — seis no total — por meio das quais ele podia ser erguido com firmeza por seis pessoas. Nossos maiores esforços não fizeram mais do que mover a arca muito de leve em seu leito. De imediato vimos que seria impossível remover um peso tão grande. Por sorte, as presilhas da tampa se restringiam a duas travas de correr. Puxamos as travas, tremendo e ofegando de ansiedade. Num instante, um tesouro de valor incalculável cintilava diante de nós. Os raios das lanternas iluminavam o chão do fosso, e uma incandescência de luz e brilho, deslumbrante aos nossos olhos, projetou-se de um amontoado confuso de ouro e de joias.

Então começamos a transportar a caixa; depois o resto do tesouro, em sacos. Terminamos esse serviço ao amanhecer, tão cansados que, quando voltamos da última viagem, comemos rapidamente alguns biscoitos, bebemos água e deitamos o mais rápido possível.

***

Só acordei ao meio-dia. Júpiter continuava em sono profundo, porém meu amigo já estava de pé e começava metodicamente o inventário do tesouro.

Era ainda mais considerável do que eu imaginara a princípio, porque tudo que estava na caixa fora escolhido.

Em moedas, todas de ouro, do século XVII e anteriores, espanholas, francesas e alemãs, havia ali quatrocentos e cinquenta mil dólares. As joias, com exceção dos relógios, que eram oitenta e seis, todos cravejados com pedras, tinham sido amassadas a martelo, mas o valor do ouro ultrapassava duzentos mil dólares. Porém o mais valioso na caixa era a coleção de pedras preciosas — diamantes, rubis, esmeraldas, todos de tamanhos consideráveis, resultando em uma riqueza que não conseguimos avaliar no momento.

Depois de tudo contabilizado, fizemos uma farta refeição, então Legrand acendeu o cachimbo e resolveu me explicar como chegara àquele prodigioso descobrimento.

— Você se lembra da noite em que desenhei o escaravelho para você? — começou ele. Não encontrando um pedaço de papel em cima da mesa, procurei nos bolsos e acabei por achar um muito sujo. Quando você me disse que, em vez de um inseto, eu desenhara uma caveira, fiquei intrigado. Examinando o desenho, verifiquei duas coisas que me impressionaram profundamente; primeiro, que a caveira estava do outro lado, nas costas da figura que eu traçara;

segundo, que aquilo não era um papel, mas uma folha de pergaminho muito fina e, portanto, de excelente qualidade.

Os pergaminhos são utilizados para a conservação de documentos importantes... a caveira foi sempre o emblema de piratas... Ora, eu sempre ouvi falar da lenda de que o famoso pirata Kidd enterrou um tesouro nos terrenos de nossa propriedade, esses por onde andamos na noite passada... o pergaminho estava justamente na ponta extrema da península formada por esse terreno...

Eu estava caçando insetos raros, quando encontrei o escaravelho de ouro. Com medo de segurá-lo com a mão, peguei aquele suposto papel, cuja ponta surgia de entre dois rochedos próximos. Depois, ao que parece, coloquei no bolso, distraidamente.

Eu estava confuso com tantas hipóteses loucas, por isso fiquei em silêncio e deixei que se retirasse sem me opor. Dediquei-me a esclarecer aquele mistério. Lavado cuidadosamente, o pergaminho deixou ver outros vestígios de desenhos e letras.

Tudo muito confuso, quase indecifrável. Foi por isso que eu precisei de cerca de um mês para ter a certeza da existência de um tesouro oculto em meus terrenos e compreender as indicações. Deus sabe com que esforço, mas acabei por decifrar tudo.

Com certeza, o pergaminho fora desenhado e escrito pelo próprio capitão Kidd ou por algum de seus assistentes.

Você já ouviu falar que algum tesouro importante tenha sido desenterrado ao longo da costa?

— Nunca.

— Mas todos sabem que a fortuna acumulada por Kidd era imensa. Acreditei, portanto, que a terra ainda a conservava escondida. E você não se surpreenderá se lhe disser que senti uma esperança, quase certeza, de que o pergaminho estranhamente encontrado tivesse o registro perdido do lugar do depósito.

— Mas como você decifrou?

— Levei o pergaminho à luz fogo, mas nada apareceu; julguei então possível que a sujeira podia ter alguma relação com o fracasso; assim, limpei cuidadosamente o pergaminho, derramando água quente sobre ele, e, tendo feito isso, coloquei-o numa panela de cobre com o crânio para baixo, e pus a panela sobre um fogão com carvão em brasa. Em poucos minutos a caçarola ficou inteiramente aquecida e removi o pergaminho que, com muita alegria, encontrei salpicado, em diversos caracteres com o que me pareceu serem figuras em linhas. Coloquei-o de novo na panela e deixei por mais outro minuto. Depois de tirá-la, tudo estava tal como você agora vê.

— E aí Legrand, aquecendo de novo o pergaminho, me entregou. Estavam toscamente traçados, em tinta vermelha, os seguintes sinais:

53‡‡†305))6*;4826)4‡)4‡);806*;48†8¶60))85;1‡(;:‡*8†8
3(88)5*†;46(;88*96*?;8)*‡(;485);5*†2:*‡(;4956*2(5*—4)8¶
8*;4069285);)6†8)4‡‡;1(‡9;48081;8:8‡1;48†85;4)485†52880
6*81(‡9;48;(88;4(‡?34;48)4‡;161;:188;‡?;

— Mas — disse eu, devolvendo-lhe o pergaminho —, estou confuso como antes. Tenho plena certeza de que eu seria incapaz de decifrar isso.

— A solução de modo algum é tão difícil como você pode imaginar. Esses caracteres, como qualquer pessoa pode prontamente verificar, formam uma cifra, isto é, tem um significado; mas segundo o que se sabe de Kidd, eu não podia supô-lo capaz de compor qualquer espécie de cifra muito complicada. Achei, imediatamente, que esta era de uma espécie simples, tal, entretanto, que, para a inteligência rude do marinheiro, devesse parecer absolutamente insolúvel, sem a chave.

— E você realmente a decifrou?

— Com toda a facilidade. Já decifrei outras, dez mil vezes mais complicadas. Certas circunstâncias e certas tendências do espírito levaram-me a ter interesse por semelhantes enigmas.

— Nesse caso — e na verdade em todos os casos de escrita secreta — a primeira questão diz respeito à língua da cifra, pois os princípios de solução, particularmente quando se trata das cifras mais simples, dependem de cada idioma e podem por isso variar. Em geral não há outra alternativa para quem tenta decifrar, senão experimentar, guiado pelas probabilidades, cada língua conhecida até que a verdadeira seja encontrada. Mas nesta cifra que temos aqui diante de nós, toda a dificuldade foi eliminada, graças à assinatura. O trocadilho com a palavra "Kidd" só é perceptível na língua inglesa. Sem esta consideração, teria eu começado minhas tentativas com o espanhol e o francês, como línguas em que um segredo desta espécie deveria ter sido naturalmente escrito por um pirata dos mares espanhóis. Mas no caso presente, presumi que a cifra estivesse em inglês.

— Você há de notar que não existem divisões entre as palavras. Se as houvesse, a tarefa teria sido relativamente fácil. Em tal caso teria eu começado por fazer uma comparação e análise das palavras mais curtas e, se tivesse encontrado, como é sempre provável uma palavra de uma só letra a (um) ou I (eu), por exemplo, haveria considerado a solução como garantida. Mas, não havendo divisões, meu primeiro passo foi averiguar quais eram as letras dominantes, como as menos frequentes.

Fiz as seguintes relações:

O algarismo **8** ocorre 33 vezes.
O sinal ; ocorre 26 vezes.
O algarismo **4** ocorre 19 vezes.
O sinal ‡ ocorre 16 vezes.
O sinal) ocorre 16 vezes.
O sinal * ocorre 13 vezes.
O algarismo **5** ocorre 12 vezes.
O algarismo **6** ocorre 11 vezes.
O sinal (ocorre 10 vezes.
O sinal † ocorre 8 vezes.
O algarismo **1** ocorre 8 vezes.
O algarismo **0** ocorre 6 vezes.
O algarismo **9** ocorre 5 vezes.
O algarismo **2** ocorre 5 vezes.
O sinal : ocorre 4 vezes.
O algarismo **3** ocorre 4 vezes.
O sinal ? ocorre 3 vezes.
O sinal ¶ ocorre 2 vezes.
O sinal — ocorre 1 vez.
O sinal . ocorre 1 vez.

— Ora, em inglês a letra que mais se encontra é a letra **e**. As demais ocorrem na seguinte ordem:

a o i d h n r s t u y c f g l m w b k p q x z.

A letra **e** é tão singularmente predominante que raras são as frases, de certo tamanho, em que não seja ela a letra principal. Temos, pois, aqui, logo no começo, uma base para algo mais do que uma simples conjetura. É evidente o uso geral que se pode fazer dessa relação, mas para esta cifra particular só muito reduzidamente nos utilizaremos de sua colaboração. Como o algarismo predominante é o **8**, começaremos por atribuir-lhe o valor da letra **e**, do alfabeto. Para verificar essa suposição, observemos se o **8** aparece muitas vezes aos pares, pois o "e" se duplica, com frequência, em inglês: como, por exemplo, nas palavras *meet, fleet, speed, seen, been, agree* etc. Nesse caso, notamos duplicada não menos de cinco vezes, embora o criptograma seja curto.

Admitamos, pois, que o **8** seja a letra **e**. Ora, de todas as palavras da língua inglesa, *the* é a mais usual. Vejamos, portanto, se não há repetições e três caracteres na mesma ordem de colocação, sendo o **8** o último dos três. Se descobrirmos repetições de tais letras arranjadas desta forma, elas representarão, muito provavelmente, a palavra *the*. Examinando-se, encontramos não menos de sete dessas combinações; sendo os caracteres **;48**. Podemos, portanto, supor que: o sinal **;** representa **t**, **4** representa **h** e **8** representa **e**, estando este último bem confirmado. De modo que um grande passo já foi dado. Tendo determinado uma única palavra, estamos capacitados a determinar um ponto importante, isto é, muitos começos e fins de outras palavras. Vejamos, por exemplo, o penúltimo que a combinação **;48** ocorre quase no fim da cifra. Sabemos que o sinal **;** que vem logo depois é o começo de uma palavra e, dos seis caracteres que seguem este *the*, conhecemos não menos de cinco. Substituamos estes caracteres pelas letras que já sabemos que eles representam, deixando um espaço para o que não conhecemos:

t (espaço) **eeth**.

Aqui já estamos habilitados a descartar-nos do **th**, como não formando parte da palavra que começa pelo primeiro **t**, pois que temos experimentando sucessivamente todas as letras do alfabeto para preencher a lacuna, que nenhuma palavra pode ser formada em que apareça esse **th**. Estamos, assim, limitados a: **t ee**; *e* percorrendo todo o alfabeto, se necessário, como antes, chegamos à palavra **tree** (árvore) como a única possivelmente certa. Ganhamos assim outra letra, o **r**, representada por **(**, e mais duas palavras justapostas, *the tree* (a árvore).

Um pouco além destas palavras, vemos de novo a combinação **;48**, e dela nos utilizamos como terminação da que imediatamente a precede. E assim temos este arranjo: **the tree ;4(‡?34 the**, ou, substituindo pelas letras reais os sinais conhecidos, lê-se assim:

the tree thr‡?3h the.

Ora, se em vez dos caracteres desconhecidos, deixarmos espaços em branco ou pontos que os substituam, leremos isto: **the tree thr the**, a palavra **through** se torna imediatamente evidente. Mas esta descoberta dá-nos três novas letras: **o**, **u** e **g**, representadas por **‡?** e **3**. Procurando agora, cuidadosamente, na cifra, combinações de caracteres conhecidos, descobrimos, não muito longe do princípio, disposição: **83(88**, ou seja, **egree**. Isto é, claramente, a conclusão da palavra **degree** (grau) e dá-nos outra letra, o **d**, representada por **†**. Quatro letras além da palavra **degree** notamos a combinação **;46(;88**.

Traduzindo os caracteres conhecidos e representando os desconhecidos por pontos, como antes, vemos o seguinte: **th rtee**, combinação que sugere imediatamente a palavra **thirteen** (treze) de novo nos fornece dois novos caracteres: **i** e **n**, representados respectivamente, por **6** e *****. Voltando agora ao princípio do criptograma, observamos a combinação 53‡‡†. Traduzindo-a como antes, obtemos **good**.

Isso nos certifica de que a primeira letra é **A** e as primeiras palavras são: **A good**. É tempo, então, de organizar nossa chave com o já descoberto, em forma de uma lista, para evitar confusões. Tê-la-emos assim:

5 representa **a**
† representa **d**
8 representa **e**
3 representa **g**
4 representa **h**
6 representa **i**
* representa **n**
‡ representa **o**
(representa **r**
; representa **t**
? representa **u**

— Temos, portanto, nada menos de onze das mais importantes letras representadas e será desnecessário continuar com os detalhes desta solução. Já lhe disse o bastante para convencê-lo de que as cifras desta natureza são facilmente decifráveis. Mas fique certo de que o caso presente pertence às mais simples espécies de criptogramas. Agora só resta dar-lhe a tradução completa dos caracteres do pergaminho, depois de decifrados. Aqui está ela:

A goad glass in the bishop's hastel in the devil's seat forty-one degrees and thirteen minutes northeast and by north main branch seventh limb east side shoot from the left eye of the death's-head a bee line from the tree through the shot fifty feet out.

—Traduzindo:
Dar conselho na casa do bispo e na poltrona do diabo — quarenta graus e treze minutos nordeste e quatro de norte — galho principal do sétimo tronco lado leste — deixe cair a sonda pelo olho esquerdo do morto e através da direção dez metros ao largo.

— Que complicado! — exclamei. — Eu nunca teria decifrado tal enigma.
— E eu com muita dedicação. A primeira coisa que me preocupou, foi essa história de casa do bispo. No tempo de Kidd não havia bispo na América. Mas com muitas pesquisas, soube que a casa reedificada por meu pai pertencera

primitivamente a um aventureiro chamado Bessop, que foi um dos primeiros habitantes da região. Ora, bispo em inglês é bishop. Casa do bishop podia muito bem ser casa de Bessop. Mas cadeira do diabo? Para ver se descobria o que poderia ser, fui até nossa antiga residência e, colocando-me à porta, vi aproximadamente a dois quilômetros uma rocha negra, muito grande e de forma específica... dando perfeita impressão de uma poltrona. Não era muita coincidência? No prolongamento da linha formada pela casa e essa rocha havia uma árvore muito grande, a maior da floresta que aí começa. Então, não tive dúvidas. Mandei Júpiter comprar as ferramentas necessárias à expedição, mandei chamá-lo e aí está.

— Mas você me assustou com palavras e atitudes extravagantes. Eu e Júpiter chegamos a pensar que você tivesse enlouquecido.

Legrand soltou uma gargalhada, meio envergonhado.

— Fiquei com medo de um fracasso, por isso eu nada queria dizer antes da prova. Quanto a me servir do escaravelho como instrumento de sondagem e dizer algumas bobagens, qualquer outro em meu lugar, diante de uma perspectiva inesperada de passar subitamente da miséria à riqueza, havia de ficar um tanto desvairado.

— Sim, percebo! E agora só há um ponto que me intriga. Que significam os esqueletos encontrados no buraco?

— Essa é uma pergunta a que não sou mais capaz de responder. Parece, contudo, haver apenas uma explicação plausível... e, entretanto, é terrível acreditar em atrocidades tal como a implicada em minha hipótese. E claro que Kidd teria sido auxiliado nesse trabalho. Concluído, porém, o serviço, pode ter ele considerado prudente fazer desaparecer todos os que participavam de seu segredo. Talvez um par de golpes com uma picareta fosse suficiente, enquanto seus ajudantes se ocupavam em cavar; talvez fossem necessários doze. Quem sabe?

O BARRIL DE AMONTILLADO

The Cask of Amontillado, 1846

As inúmeras injúrias de Fortunato, eu as suportei o tanto que pude; mas quando ele passou destas ao insulto, pensei em vingança. Você, que conhece tão bem a natureza de minha alma, não imagina que pronunciei uma única ameaça. Ao fim e ao cabo, eu me vingaria, isso era ponto pacífico, estava decidido. Não devia apenas punir, mas punir impunemente, sem riscos. Um mal não está reparado se alguma retaliação recair sobre quem o repara. Como não está reparado se o vingador não puder se revelar a quem cometeu o mal. Claro está que nenhum ato ou palavra de minha parte dera oportunidade a que Fortunato duvidasse da minha benevolência. Continuei, como de costume, a sorrir, sem que ele notasse que eu sorria, agora, à ideia de sua imolação. Fortunato tinha um ponto fraco, embora sob muitos aspectos fosse homem de se respeitar e mesmo temer. Orgulhava-se de conhecer vinhos. Poucos italianos têm o autêntico espírito do virtuoso. A maioria das vezes, seu entusiasmo serve à oportunidade de praticar alguma impostura à custa de milionários britânicos ou austríacos. Em se tratando de pinturas e joias, Fortunato era, como seus compatriotas, um enganador. Mas, em matéria de vinhos antigos, era sincero. Eu também era entendido em boas safras italianas e comprava muitos sempre que podia. Foi à hora do crepúsculo, uma noite do devaneio da estação carnavalesca, que fui ao encontro de meu amigo. Ele tinha bebido muito, então me abordou com vivacidade excessiva. Ele usava uma fantasia de bufão. Vestia uma peça justa e listrada e tinha na cabeça um chapéu cônico, de guizos. Fiquei tão feliz de encontrá-lo, que não queria mais parar de lhe apertar a mão. Disse a ele:

— Meu caro Fortunato, que sorte o encontrar. Que aparência saudável! Escuta: tenho um barril que dizem ser de Amontillado, mas tenho minhas dúvidas.

— Como? — disse ele. — Amontillado? Um barril? Impossível! E no meio do Carnaval!

— Tenho lá minhas dúvidas — repliquei — e paguei o preço de um Amontillado sem consultá-lo a respeito. Não consegui encontrá-lo, e fiquei com receio de perder o barril.

— Amontillado! — Tenho lá minhas dúvidas.

— Amontillado! — E quero me livrar dessas dúvidas.

— Amontillado! — Como você está ocupado, vou falar com Luchesi. Se alguém entende, esse alguém é ele. Vai saber me dizer...

— Luchesi não sabe a diferença entre um Amontillado e um xerez.

— Mas não faltam os tolos que digam que o paladar dele é páreo para o seu.

— Venha, vamos.

— Para onde?

— Para a sua adega.

— Não, meu amigo, não; não vou abusar de sua bondade. Logo se vê que você tem um compromisso. Luchesi...

— Não tenho compromisso nenhum; venha.

— Meu amigo, não. Não é o compromisso, mas esse resfriado severo que logo se vê que o aflige. As adegas são insuportavelmente úmidas. Estão incrustadas de salitre.

— Vamos assim mesmo. O resfriado não é nada. Amontillado! Você foi trapaceado. E quanto a Luchesi, esse não sabe distinguir um xerez de um Amontillado. A essas palavras, Fortunato agarrou meu braço. Vestindo uma máscara de seda negra e puxando um roquelaure rente ao corpo, deixei que ele me arrastasse rumo a minha casa. Não havia nenhum criado em casa; todos estavam de folga, para celebrar o Carnaval. Eu dissera que não voltaria até a manhã seguinte e dera ordens explícitas de que não dessem um passo para fora da casa. Essas ordens eram suficientes, eu bem sabia, para garantir o sumiço imediato de todos e de cada um, tão logo eu lhes desse as costas. Conduzi Fortunato por uma sequência de aposentos até o arco que levava às adegas. Desci por uma longa escadaria em espiral, pedindo-lhe que tivesse cautela ao me seguir. Chegamos finalmente ao pé da escada e pisamos o chão úmido das catacumbas dos Montresor. O meu amigo estava cambaleando, e os guizos do chapéu tilintavam às suas passadas.

— O barril? — perguntou ele.

— Mais adiante — respondi.

— Mas veja só a teia branca que brilha nessas paredes cavernosas.

Ele se voltou para mim e me fitou bem nos olhos com olhos turvos e ébrios.

— Salitre? — perguntou. — Cof, cof, cof! Cof, cof, cof!

— Salitre — repliquei — mas quando começou essa tosse?

— Cof, cof, cof! Cof, cof, cof! Cof, cof, cof! Meu pobre amigo não teve como responder por uns bons minutos. — Não é nada — disse, afinal.

— Vamos voltar — eu disse, determinado. Sua saúde é preciosa. Você é abastado, respeitado, admirado, amado; é feliz como eu já fui. Sua falta seria sentida. Não há o menor problema para mim. Você pode cair doente, e não quero ser o responsável. Além do mais, Luchesi...

— A tosse não é nada, não vai me matar.

— Tem razão, tem razão — repliquei.

— Também não tenho a menor intenção de alarmá-lo; mas todo cuidado é pouco. Um gole desse Medoc vai nos proteger da umidade. E peguei uma garrafa que tirei de uma longa fileira disposta sobre o bolor.

— Beba — eu disse, oferecendo-lhe o vinho.

Levou-o aos lábios com uma piscada maliciosa. Fez uma pausa e acenou com a cabeça, enquanto os guizos tilintavam.

— Bebo aos mortos que repousam aqui à volta.

— E eu, a uma vida longa para você.

Pegou o meu braço e seguimos em frente.

— Estas adegas — ele comentou — são enormes.
— Os Montresor — respondi — foram uma família importante e numerosa.
— Qual é mesmo o seu brasão?
— Um grande pé humano em ouro contra campo azul; o pé esmaga uma serpente rampante cujas presas penetram o calcanhar.
— E os escritos?
— Está escrito em latim *Nemo me impune lacessit*, o que significa: ninguém me provoca impunemente.
— Ótimo! — ele disse.

O vinho cintilava em seus olhos, e os sinos tilintavam. Minha fantasia se exaltava com o Medoc. Havíamos passado por paredes de ossos empilhados, com barris e tonéis alternados, rumo aos lugares mais secretos das catacumbas. Paramos e dessa vez segurei Fortunato pelo braço, acima do cotovelo.

— O salitre! — eu disse. — Veja só como vai crescendo. Agarra-se feito musgo à parede da adega. Estamos embaixo do leito de um rio. As gotas de umidade escorrem entre os ossos. Vamos voltar antes que seja tarde. Estou preocupado com sua tosse.

— Não é nada — ele disse —, vamos em frente. Mas, primeiro, mais um gole do Medoc. Abri e passei-lhe uma garrafa de Graves. Esvaziou-a de um fôlego só. Os olhos rebrilharam com uma luz feroz. Deu uma risada e jogou a garrafa para cima num gesto estranho. Repetiu o movimento.

— Não entendeu? — ele perguntou.
— Não — respondi.
— Então você não é da irmandade?
— Como?
— Não é um pedreiro livre?
— Sim, sim — respondi.
— Você? Impossível! Pedreiro livre?
— Sim, pedreiro — respondi. — Uma senha — ele pediu.
— Aqui está — respondi, tirando uma pá de pedreiro das dobras do meu roquelaure.
— Está brincando! — ele exclamou, retrocedendo alguns passos. — Mas vamos ao Amontillado.
— Assim seja — respondi, voltando a guardar a pá sob a capa e novamente oferecendo-lhe o braço.

Ele se apoiou em mim pesadamente. Continuamos nossa caminhada em busca do Amontillado. Passamos por uma sequência de arcos baixos, descemos, avançamos e, descendo novamente, chegamos a uma cripta profunda, com um ar tão viciado que nossas tochas mais ardiam que flamejavam. No canto mais remoto da cripta abria-se outra, menos espaçosa. Tinha as paredes cobertas de despojos humanos empilhados até a abóbada, como nas grandes catacumbas de Paris. Três lados dessa cripta interior ainda conservavam esse adorno. Os ossos tinham sido arrancados do quarto e jaziam desordenados pelo chão, formando um monte de bom tamanho. Na parede sem ossos, percebemos um recesso ainda mais profundo, com quatro pés de profundidade, três de largura e seis ou sete de altura. Parecia ter sido construído sem fim definido, um mero intervalo entre dois dos suportes gigantescos do teto das catacumbas, e era fechado por uma das paredes exteriores de granito maciço. Foi em vão que Fortunato, levantando a tocha, tentou avistar as profundezas do recesso. A luz frágil não permitia que víssemos o seu fim.

— Siga em frente — eu disse —, o Amontillado está aí dentro. Quanto a Luchesi...

— É um ignorante — interrompeu meu amigo, dando um passo incerto adiante, enquanto eu o seguia. Chegou à extremidade do nicho e, sentindo a própria marcha detida pela rocha, ficou ali, estupefato. Um momento mais, e eu o acorrentava ao granito. Na superfície deste havia dois grampos de ferro, a cerca de dois pés um do outro, na horizontal. De um deles, pendia uma corrente; do outro, um cadeado. Passando os elos em volta da cintura, prendê-lo foi coisa de poucos segundos. Estava atônito demais para resistir. Retirando a chave, recuei para fora do recesso.

— Passe a mão pela parede — eu disse —, não há como não sentir o salitre. Na verdade, tudo é muito úmido. Vou falar de novo, vamos voltar? Não? Então, serei obrigado a deixá-lo aqui. Mas antes devo-lhe todas as pequenas atenções a meu alcance.

— O Amontillado! — exclamou meu amigo, ainda não recuperado do espanto.

— É verdade — respondi —, o Amontillado.

Enquanto dizia essas palavras, eu me ocupava da pilha de ossos que mencionei há pouco. Atirando-os para o lado, logo descobri alguma argamassa e pedras. Com esses materiais e com ajuda da pá, comecei a tapar a entrada do nicho. Mal assentara a primeira fileira de pedras quando percebi que a ebriedade de Fortunato estava diminuindo. O primeiro indício foi um grito baixo, lamentoso, do fundo do recesso. Aquele não era o grito de um bêbado. Seguiu-se um silêncio longo e persistente. Assentei a segunda fileira, e a terceira, e a quarta; então ouvi a vibração furiosa da corrente. O ruído durou vários minutos, durante os quais, para que pudesse escutar com mais satisfação, interrompi o trabalho e me sentei sobre os ossos. Quando finalmente o som forte cedeu, retomei a pá e terminei sem mais interrupção a quinta, a sexta, a sétima fileira. Agora a parede alcançava quase ao nível do meu peito. Fiz nova pausa e, erguendo as tochas acima da minha obra, lancei uns raios fracos sobre a figura ali dentro. Uma sucessão de gritos altos e estridentes, explodindo subitamente da garganta daquela figura agrilhoada, pareceu me empurrar com violência para trás. Por um breve momento, hesitei — estremeci. Puxando o punhal da bainha, comecei a explorar o recesso; mas bastou um instante de reflexão para me tranquilizar. Passei a mão pela alvenaria sólida das catacumbas e me dei por satisfeito. Cheguei mais perto da parede. Respondi aos berros daquele que clamava. Fiz eco, fiz coro, ultrapassei-os em volume e força. Fiz isso, e o suplicante calou-se. Era já meia-noite, e minha tarefa chegava ao fim. Completara a oitava, a nona, a décima fileira. Terminara parte da última, a décima primeira; faltava uma única pedra por assentar e rebocar. Lutei com seu peso; encaixei-a parcialmente na posição final. Mas então veio do nicho um riso baixo que me arrepiou os cabelos. Ouviu-se em seguida uma voz tristonha, que tive dificuldade de reconhecer como a do nobre Fortunato. A voz dizia:

— Ha, ha, ha! He, he! Que bela piada, verdade — uma peça excelente. Vamos morrer de rir no palazzo, he, he, he! Com um bom vinho, he, he, he!

— O Amontillado! — eu disse.

— He, he, he! He, he, he! Sim, claro, o Amontillado. Mas não está ficando tarde? Será que não estão nos esperando no palazzo, a minha senhora, e os outros?

— Sim — respondi —, vamos embora. — Pelo amor de Deus, Montresor!

— Isso mesmo, pelo amor de Deus! Mas espreitei em vão por uma resposta a essas palavras. Fiquei impaciente. Chamei alto:

— Fortunato! Nenhuma resposta. Chamei de novo:

— Fortunato! Nenhuma resposta ainda.

Joguei uma tocha pelo vão restante e deixei que caísse para dentro. Não se ouviu mais que um tilintar dos guizos. Senti náuseas, por causa da umidade das catacumbas. Tentei pôr fim à minha obra. Assentei a última pedra e a reboquei. Contra a nova alvenaria, reergui o velho baluarte de ossos. Por meio século, nenhum mortal veio perturbá-los. *In pace requiescat! (Descanse em paz!)*

TU ÉS O HOMEM

Thou art the man, 1844

Desempenharei agora o papel de Édipo, para o enigma de Rattleburgo. Vou expor somente o que, o segredo do maquinismo que efetuou o milagre de

Rattleburgo — o verdadeiro, o admitido, o indisputável milagre que pôs definitivamente fim à infidelidade entre os rattleburgueses, converteu à ortodoxia das vovós e de qualquer materialista que antes se aventurara a ser cético.

Este acontecimento, que seria triste discutir num tom de inoportuna leviandade, ocorreu no verão de 18... O Sr. Barnabé Shuttleworthy, um dos mais ricos e dos mais respeitáveis cidadãos do burgo, estava desaparecido por vários dias, em circunstâncias que despertavam suspeitas de um crime. O Sr. Shuttleworthy se ausentara de Rattleburgo num sábado, de manhã, a cavalo, com a intenção de ir à cidade de N..., a cerca de quinze milhas de distância, e de lá voltar na noite do mesmo dia. Duas horas depois de sua partida, porém, seu cavalo voltou sem ele e sem sua bolsa, que tinha sido amarrada ao lombo do cavalo, ao partir.

O animal estava ferido e coberto de lama. Estas circunstâncias suscitaram grande alarme entre os amigos, e quando se verificou, no domingo de manhã, que ele ainda não havia reaparecido, todo o burgo se mobilizou para procurar seu corpo.

O primeiro e mais enérgico em organizar essa busca era o amigo do peito o Sr. Shuttleworthy, um tal Sr. Carlos Goodfellow, ou como era por todos chamado, "Carlito Goodfellow", ou "Carlito Velho Goodfellow". Se é apenas uma coincidência, ou se o próprio nome tem imperceptível efeito sobre o caráter, não fui capaz de certificar-me; mas a verdade é que nunca houve ninguém chamado Carlito que não fosse um sujeito franco, valente, honesto, afável e cordial, com uma clara voz singular, agradável de ouvir, e um olhar que parecia dizer: "Tenho uma consciência limpa, não tenho medo de nenhum homem e sou incapaz de praticar uma ação indigna." E assim todos os alegres e descuidados artistas secundários do palco podem ser chamados de Carlos.

"Carlito Velho Goodfellow", embora estivesse em Rattleburgo, não havia mais de seis meses, e embora ninguém soubesse qualquer coisa a seu respeito antes que viesse estabelecer-se na vizinhança, não tivera dificuldade alguma em fazer amizade com todas as pessoas respeitáveis do burgo. Todos acreditavam piamente em suas palavras, a qualquer momento; quanto às mulheres, não se pode dizer o que elas não teriam feito para agradar a Carlito. E tudo isso lhe vinha do fato de ter sido batizado como Carlos e de possuir, em consequência, aquele rosto ingênuo, que é de modo proverbial a "melhor carta de recomendação".

Já disse que o Sr. Shuttleworthy era um dos mais respeitáveis e, o homem mais rico de Rattleburgo e que "Carlito o Goodfellow" era como se fosse seu próprio irmão. Os dois velhos cavalheiros eram vizinhos de casas contíguas e, embora o Sr. Shuttleworthy raramente visitasse "Carlito Velho", nunca se soube que tivesse feito alguma refeição em sua casa; contudo, isso não impedia que os dois amigos fossem íntimos, como observei. Quanto a "Carlito Velho", nunca deixou passar um dia sem ir três ou quatro vezes ver como seu vizinho ia passando e muitas vezes ficava para almoçar ou para o chá, e quase sempre jantar. Coisa bem difícil de saber seria a quantidade de vinho consumida pelos dois camaradas numa reunião dessas. A bebida preferida de "Carlito Velho" era o Château Margaux e parecia confortar o coração do Sr. Shuttleworthy ver o amigo beber esse vinho, como fazia, quartilho após quartilho. Um certo dia, quando o vinho estava dentro e o juízo, um tanto fora, disse ele a seu companheiro, dando-lhe pancadinhas nas costas:

— Vou dizer-lhe o que é que você é, "Carlito Velho". Você é sem dúvida o sujeito mais cordial que eu jamais encontrei desde o primeiro dos meus dias de vida. E já que você gosta de beber vinho dessa maneira, gostaria de presentear você com uma grande caixa do Château Margaux.

— Diabos me levem! — exclamou o Sr. Shuttleworthy, que tinha o hábito de praguejar, mas raramente passava de: "Diabos me levem!", "Que eu me dane", ou "Com os seiscentos diabos!".

— Diabos me levem se eu não encomendar esta tarde uma caixa dupla do melhor que se possa encontrar, e enviar de presente a você. Você não diz uma só palavra agora: eu mando, e não se fala mais nisso.

Menciono essa pequena amostra de generosidade da parte do Sr. Shuttleworthy para mostrar quanta intimidade e compreensão existia entre os dois amigos.

Pois bem, na manhã do domingo em questão, quando se tornou claro que algo de mau havia acontecido ao Sr. Shuttleworthy, jamais vi alguém tão profundamente abalado como "Carlito Velho Goodfellow". Quando soube, a princípio, que o cavalo tinha voltado para casa sem seu dono e sem a bolsa, ferido por um tiro de pistola, que atravessara simplesmente o peito do pobre animal, sem matá-lo; quando ouviu tudo isso, ficou pálido como se o homem desaparecido tivesse sido seu irmão querido ou seu pai, e tremia e se agitava todo, como se tivesse com febre.

A princípio sentia-se demasiadamente triste para poder fazer qualquer coisa ou decidir qualquer plano de ação. Assim é que, durante muito tempo, tentou dissuadir os outros amigos do Sr. Shuttleworthy de provocar qualquer agitação em torno do assunto, achando melhor esperar um tempo — digamos, uma semana ou duas, ou um mês, ou dois —, para ver se alguma coisa não aconteceria ou se o Sr. Shuttleworthy não voltaria de maneira natural e explicaria as razões de ter enviado seu cavalo na frente.

É observado muitas vezes esta disposição para acomodar, ou para adiar, nas pessoas que sofrem qualquer sofrimento pungente. As forças parecem cair em torpor, de maneira que elas têm horror de qualquer coisa que se pareça com ação e nada acham melhor que ficar quietas na cama e "ninar sua dor", como dizem as velhas, isto é, ruminar as contrariedades.

As pessoas de Rattleburgo tinham tão alta opinião da sabedoria e da discrição de "Carlito Velho" que a maior parte delas se sentiu disposta a concordar com ele, e não agitar o caso, "até que alguma coisa se acontecesse", como tinha dito o cavalheiro. E eu acredito que, afinal, teria sido esta decisão geral, não fosse a interferência bem duvidosa do sobrinho do Sr. Shuttleworthy, rapaz de mau caráter. Esse sobrinho, cujo nome Pennifeather, não concordava com aquela estória de ficar quieto", então insistiu na imediata busca do "corpo do homem assassinado".

Era esta a expressão que ele empregava. O Sr. Goodfellow achou estranho, para não dizer outra coisa. Essa observação de Carlito Velho teve repercussão sobre a multidão e alguém do grupo perguntou como era que o jovem Sr. Pennifeather se mostrava tão íntimo conhecedor de todas as circunstâncias relacionadas com o desaparecimento de seu rico tio, a ponto de sentir-se autorizado a afirmar que seu tio era "um homem assassinado".

Ocorreram polêmicas disputas entre várias pessoas e especialmente entre "Carlito Velho" e o Sr. Pennyfeather, embora esta última ocorrência não fosse de fato absolutamente novidade, pois certo desconforto se suscitara entre os dois nos últimos três ou quatro meses, e as coisas tinham ido tão longe que o Sr. Pennifeather tinha esmurrado o amigo do tio, por causa de um excesso de liberdade que o último tomara, na casa do tio, onde o sobrinho morava.

No entanto, nessa ocasião, conta-se que "Carlito Velho" comportou-se com exemplar moderação e caridade. Levantou-se, depois de recebido o murro, ajeitou as roupas e não reagiu, murmurando apenas algumas palavras relativas a "se vingar na primeira oportunidade "natural e bem justificável atitude, que nada significava, porém, e sem dúvida tão logo fora expressa, já estava esquecida.

Seja como for, o povo de Rattleburgo, principalmente em virtude da persuasão do Sr. Pennifeather, decidiu dispersar-se pelas regiões adjacentes, em busca do desaparecido Sr. Shuttleworthy. Digo que chegaram a esta decisão em primeiro lugar. Depois que fora completamente resolvido que se fizesse uma busca, considerou-se quase fora de questão que as pessoas se dispersariam, isto é, se distribuiriam em grupos, para mais cuidadoso exame de toda a região em redor. Não sei, porém, porque engenhoso raciocínio foi que "Carlito Velho", finalmente, convenceu as pessoas de que era aquele o plano mais sem razão do que se poderia realizar. Convenceu a todos, exceto ao Sr. Pennifeather; e afinal ficou combinado que se faria uma busca cuidadosa e bem completa dirigidos pelo próprio "Carlito Velho".

Quanto a isto, não poderia haver melhor pioneiro do que "Carlito o Velho", que tinha olhos de lince; mas, mesmo que ele os levasse a todos os recantos, fora da estrada e lugares que ninguém jamais suspeitara existissem na vizinhança. Embora a busca fosse mantida, sem cessar, dia e noite, durante quase uma semana, nenhum sinal do Sr. Shuttleworthy pôde ser descoberto. Quando digo "nenhum sinal", porém, não se deve entender que falo literalmente, porque sinais certamente havia. O pobre homem tinha chegado, como se verificou pelas ferraduras de seu cavalo, a um lugar situado a três milhas a leste do burgo, na estrada principal que levava à cidade. Ali, o rastro desviou-se para uma vereda, através de um trecho de mata, entroncando-se a vereda, novamente para a estrada principal e atalhando assim cerca de meia milha da distância regular. Seguindo as marcas de ferradura por aquele atalho, o grupo chegou a um brejo de água parada, escondido pelas sarças, à direita do atalho. Do outro lado do brejo o vestígio do rastro desaparecera.

Parecia que uma luta ali acontecera e que algum corpo, grande e pesado, muito maior e mais pesado que o de um homem, tinha sido arrastado da vereda para o brejo. Este foi cuidadosamente dragado duas vezes, mas nada se encontrou. E a ponto de desistir, sem ter conseguido chegar a resultado algum quando o Sr. Goodfellow sugeriu drenar toda a água. Essa ideia foi recebida com aplausos e cumprimentos a Carlito Velho, por sua sagacidade.

Como muitos dos habitantes tinham pás, na suposição de que teriam de desenterrar um cadáver, a drenagem foi fácil e rapidamente efetuada; e tão logo o fundo do brejo se tornou visível, surgiu em meio da lama o colete de veludo preto, que quase todos os presentes reconheceram como pertencente ao Sr. Pennifeather.

O colete estava bastante rasgado e manchado de sangue e muitas das pessoas que ali se achavam lembravam-se, distintamente, de que o dono o usara justamente na manhã da partida do Sr. Shuttleworthy para a cidade, ao mesmo tempo que outras estavam prontas a testemunhar, sob juramento, se preciso, que o Sr. Pennifeather não usara a peça de roupa em questão, durante o restante daquele mesmo dia; como também ninguém podia imaginar que dissesse ter aquele colete na pessoa do Sr. Pennifeather em tempo algum seguida ao desaparecimento do Sr. Shuttleworthy.

As coisas estavam tomando um rumo muito sério para o Sr. Pennifeather e foi observado, como indubitável confirmação das suspeitas levantadas contra ele, que se tornou muito pálido e, quando questionado o que tinha a dizer em seu favor, foi incapaz de dizer uma palavra. Os poucos amigos que tinha por causa do seu modo dissoluto de vida o abandonaram imediatamente e se mostraram tão indignados como seus antigos e confessados inimigos, exigindo a imediata detenção do Sr. Pennifeather. Mas, por outro lado, a generosidade do Goodfellow esplendeu, como o mais brilhante lustre, pelo contraste. Fez, calorosa e intensamente, eloquente defesa do Sr. Pennifeather na qual aludiu mais de uma vez ao seu próprio e sincero perdão àquele rude rapaz, "o herdeiro do digno Sr. Shuttleworthy" pelo insulto que o rapaz tinha, sem dúvida no ardor da paixão descarregado na pessoa dele (Sr. Goodfellow). Perdoava-o do fundo do seu coração e quanto ao Sr. Goodfellow, não querendo levar ao extremo as circunstâncias suspeitas, que haviam se levantado contra o Sr. Pennifeather, ele faria o que estivesse em seu poder, empregaria toda a pouca persuasão de que era possuidor, para a suavizar, tanto quanto lhe fosse possível fazer, em relação aos piores aspectos daquela parte excessivamente espantosa do caso. O Sr. Goodfellow prosseguiu, durante meia hora, para crédito de sua cabeça e de seu coração; mas na efervescência de seu zelo em servir a alguém, muitas vezes, com a mais bondosa das intenções, causa mais prejuízo à sua causa do que serve.

Assim sucedeu que com toda a eloquência de "Carlito Velho", embora procurasse ativamente atenuar as suspeitas, aconteceu que, de uma forma ou de outra, cada sílaba pronunciada, e cuja tendência direta, mas inconsciente, não fosse a de exaltar o orador no bom conceito de seu auditório, produziu o efeito de intensificar a suspeita já ligada ao indivíduo cuja causa ele advogava e de suscitar contra este a fúria da multidão. Um dos mais notáveis erros, cometidos pelo orador, foi sua alusão ao suspeito como sendo "o herdeiro do digno cavalheiro Shuttleworthy". As pessoas nunca tinha pensado nisso. Lembrava-se de certas ameaças de deserdação proferidas uma ou duas vezes antes pelo tio, que não tinha parente vivo, exceto o sobrinho, e tinha por isso encarado sempre essa deserdação como questão que estava resolvida, tão simplórios eram os rattleburgueses. Mas a observação de "Carlito Velho" levou-os imediatamente a considerar a questão, fazendo-os ver que a possibilidade das ameaças nada mais tinha sido que uma ameaça.

E logo diretamente ergueu-se a questão do *cui bono?* — questão que colaborou para ligar o rapaz ao terrível crime. E aqui, para não ser mal interpretado, permita-me uma rápida explicação para essa frase em latim, excessivamente breve e simples; é uma frase invariavelmente mal traduzida e mal interpretada. *Cui bono?* — em todas as novelas famosas e em qualquer outra parte, por exemplo nas da Sra. Gore, mulher que cita todas as línguas, do caldaico ao chickasaw, e que foi auxiliada no seu aprendizado, "por um sistemático plano do Sr. Bedford —, em todas as novelas famosas, das de Bulwer e Dickens às de Turnapenny Ainsworth, as duas pequenas palavras em latim *cui bono?* são traduzidas como "com que propósito?" Seu verdadeiro significado, no entanto, é "para beneficiar a quem?". *Cui*, a quem; *bono*, o benefício. É uma frase puramente legal e aplicável precisamente a situações como a que temos agora, onde a probabilidade de autor da façanha gira sobre a probabilidade do benefício em acréscimo para esse indivíduo, ou para o que resulta do cumprimento da façanha. Na presente situação, a questão *cui bono?* implicava diretamente o Sr. Pennifeather. Seu tio o havia ameaçado de deserdá-lo, depois de haver feito um testamento em seu favor. Mas a ameaça não fora mantida; o testamento não fora alterado, supunha-se. Se tivesse sido alterado, o único provável motivo para o crime, por parte do suspeito, teria sido vingança; e mesmo este teria sido contrabalançado com a esperança de ser reintegrado nas boas graças do tio. Mas, se o testamento não estivesse alterado, enquanto a ameaça de alteração permanecesse suspensa, era de supor-se, o estímulo mais forte possível para cidade; e assim concluíam os dignos burgos de Rattle. O Sr. Pennifeather foi detido imediatamente e a multidão, depois de mais algumas buscas, voltou para casa levando o preso. No caminho, porém, outra circunstância ocorreu para confirmar a suspeita. O Sr. Goodfellow, cujo cuidado o levava a ficar sempre um pouco à frente do grupo, correu subitamente para a frente, e pegou um pequeno objeto dentre a relva. Tendo-o examinado rapidamente, observaram que ele tentara ocultá-lo no bolso de seu paletó; esse gesto foi percebido, e verificou-se que o objeto apanhado era uma faca espanhola, uma dúzia de pessoas imediatamente reconheceu pertencente ao Sr. Pennifeather. Além disso, suas iniciais estavam gravadas no cabo. A lâmina daquela faca estava aberta e ensanguentada. Nenhuma dúvida restava agora a respeito da culpabilidade do sobrinho e, logo depois que chegaram a Rattleburgo, ele foi conduzido à presença de um magistrado para ser interrogado.

Ali as coisas tomaram um aspecto ainda mais desfavorável. Interrogado a respeito de seus passos na manhã do desaparecimento do Sr. Shuttleworthy, o prisioneiro confessou que justamente naquela manhã estivera com seu rifle de caçar veados, na vizinhança de onde o colete manchado de sangue fora descoberto, graças à sagacidade do Sr. Goodfellow. Este último adiantou-se então e, com lágrimas nos olhos, pediu permissão para ser interrogado. Ele disse que um senso de dever para com seu Criador, e não menos para com seus amigos, não lhe permitia que permanecesse por mais tempo em silêncio. Até então, o mais sincero afeto pelo rapaz, apesar do mau tratamento que o último infligira a ele, o induziu a levantar todas as hipóteses que a imaginação pudesse sugerir, a fim de tentar explicar o que parecia suspeito nas circunstâncias que falavam tão seriamente contra o Sr. Pennifeather. Mas estas circunstâncias eram agora tão convincentes e condenatórias, que não hesitaria por mais tempo e contaria tudo que sabia, embora o coração do Sr. Goodfellow, com esse esforço se fizesse em pedaços. Passou, então, a relatar que, na tarde do dia anterior ao da partida do Sr. Shuttleworthy para a cidade, aquele digno cavalheiro tinha referido a seu sobrinho, em sua presença que a finalidade de sua ida à cidade no outro dia era fazer um depósito de uma soma elevada de dinheiro, no Banco da Lavoura e Comércio e que, nessa mesma ocasião, o dito Sr. Shuttleworthy tinha distintamente confessado ao dito sobrinho sua irrevogável decisão de rescindir o testamento originariamente feito e de deixá-lo sem um vintém. Ele apelava agora solenemente para o acusado, a fim de afirmar se o que ele acabava de relatar era ou não a verdade, em todos os seus pormenores substanciais. Para grande espanto de todos os presentes, o Sr. Pennifeather admitiu francamente que era a pura verdade.

O magistrado então mandou dois policiais dar uma busca no quarto do acusado, na casa de seu tio. Voltaram, com a conhecida carteira de couro vermelha com cantos de aço, que o velho costumava usar durante anos. Os valores que continha, porém, tinham sido retirados. E o magistrado em vão tentou obrigar o prisioneiro a confessar o lugar em que ocultara os valores. Ele negou obstinadamente que soubesse qualquer coisa a respeito daquilo. Os policiais também descobriram entre a cama e o saco de roupas uma camisa e um lenço de pescoço, ambos marcados com as iniciais de seu nome e horrendamente manchados com o sangue da vítima.

Nesse momento, foi anunciado que o cavalo do homem assassinado acabava de morrer, na estrebaria, em consequência do tiro que recebera. E foi proposto, pelo Sr. Goodfellow, que se fizesse imediatamente a necropsia do animal com objetivo, se possível de encontrar a bala. Isso foi feito em conformidade; e, para demonstrar além de qualquer dúvida a culpa do acusado. O Sr. Goodfellow, após considerável busca na cavidade do tórax, foi capaz de detectar e puxar uma bala de tamanho muito extraordinário, que examinada, se adaptava exatamente ao calibre do rifle do Sr. Pennifeather, ao passo que era bastante grande para o da arma de qualquer outra pessoa do burgo ou na vizinhança.

Para tornar o caso ainda mais seguro, porém, descobriu-se que aquela bala tinha uma fenda ou sutura nos ângulos direitos, em vez da sutura habitual, e, examinada, essa sutura correspondeu precisamente a uma crista acidental ou elevação, num par de moldes que o acusado reconheceu como de sua propriedade. Com a descoberta dessa bala, o magistrado recusou-se a ouvir qualquer outro testemunho e imediatamente ordenou o julgamento do prisioneiro, negando-se a aceitar qualquer fiança para o caso, embora contra semelhante severidade Goodfellow, calorosamente, protestou e se ofereceu como fiador de qualquer quantia em que fosse ela arbitrada, generosidade da parte de "Carlito Velho" estava de acordo com todo o teor de sua amigável e cavalheiresca conduta durante todo o período de sua residência no burgo de Rattle. O resultado do inquérito pôde ser prontamente previsto. O Sr. Pennifeather, entre as elevadas execrações de todo Rattleburgo levado a julgamento na próxima sessão do júri, quando a cadeia de provas circunstanciais, reforçada como foi por alguns fatos adicionais condenatórios, que a sensível retidão de consciência do Sr. Goodfellow proibia que subtraísse ao conhecimento do tribunal, foi considerada tão indestrutível e tão conclusivo que o júri sem deixar seus lugares, retornou um veredicto imediato de "Culpado de assassinato em primeiro grau". Logo depois, o infeliz recebeu sentença de morte e foi mandado para a prisão.

A nobre conduta de "Carlito Velho Goodfellow" tornara-o duplamente estimado pelos cidadãos do burgo. Tornou-se dez vezes mais preferido que antes; e, como natural resultado da hospitalidade com que era tratado, relaxou, como era de esperar, por força, os hábitos extremamente parcimoniosos que sua pobreza até então o haviam forçado a observar, e frequentemente proporcionava pequenas reuniões, em sua própria casa, ocasião em que a espiritualidade e a jovialidade imperavam, abafadas um tanto, sem dúvida, pela fortuita recordação do destino desfavorável e melancólico que pairava sobre o sobrinho do falecido e lamentado amigo do peito do generoso anfitrião. Um belo dia, aquele magnânimo cavalheiro ficou agradavelmente surpreendido, ao receber a seguinte carta:

Senhor Carlos Goodfellow,
Esq., Rattleburgo.
De HFB & Co

Caro Senhor:
Em conformidade com uma ordem transmitida à nossa empresa, há mais de dois meses, pelo nosso estimado correspondente Sr. Barnabé Shuttleworthy, temos a honra de despachar esta manhã, para seu endereço, uma caixa dupla de Château Margaux, marca antílope, selo roxo. A caixa numerada é marcada como se indica à margem.

Permanecemos, senhor, os seus mais obedientes servos,
Hoggs, Frogs, Bogs & Co.

Cidade de..., 21 de junho de 18...

P.S. — *A caixa chegará pelo trem de ferro um dia após o recebimento desta carta. Nossos respeitos ao Sr. Shutdeworthy.*
H., F., B. & Co.
Chat. Mar. A. N.0 1, 6 doc. bot. (½ grossa).

Desde a morte do Sr. Shuttleworthy, o Sr. Goodfellow perdera a esperança de receber o prometido Château Margaux; por isso, encarou aquilo como uma espécie de dom da Providência Divina em seu favor. Ficou altamente deleitado e, sem dúvida, na exuberância de sua alegria, convidou numerosos amigos para um *petit souper* no dia seguinte, com a finalidade de abrir o presente do bom velho Shuttleworthy. Não que ele tenha falado algo sobre o "bom velho Shuttleworthy", quando fez os convites. O fato é que ele pensou muito e concluiu em nada dizer. Não fez menção a ninguém que havia recebido um Château Margaux de presente.

Convidou os amigos a ir ajudá-lo a beber um pouco de vinho de excelente e notável qualidade e rico sabor que mandara buscar uns dois meses atrás, e que iria chegar no dia seguinte.

Fiquei intrigado, por que foi que chegou à conclusão de nada dizer a respeito do recebimento daquele vinho do seu velho amigo, mas nunca pude precisamente compreender a razão de seu silêncio, embora tivesse uma razão excelente e bem magnânima, sem dúvida. Chegou afinal o dia seguinte, e com ele apareceu na casa do Sr. Goodfellow uma numerosa e altamente respeitável companhia. De fato, metade do burgo ali se achava, eu mesmo me encontrava, mas para grande vexame do anfitrião o Château Margaux não havia chegado até o último instante e quando já tinham feito todos os convidados ampla justiça à suntuosa ceia proporcionada por "Carlito Velho".

Chegou afinal, uma caixa muito grande, e, como toda a companhia estivesse de excessivo bom-humor, decidiu-se, que seria colocada sobre a mesa e seu conteúdo retirado imediatamente.

Dito e feito. Ajudei também e num instante tínhamos sobre a mesa, no meio de todas as garrafas e copos, alguns dos quais se quebraram na confusão. "Carlito Velho", embriagado e de rosto vermelho, pegou então uma cadeira, com um ar de fingida dignidade, à cabeceira da mesa, bateu com furor sobre ela com uma garrafa, convidando as pessoas a manter a ordem "durante a cerimônia do desenterro do tesouro". Depois de algumas vociferações, o silêncio foi afinal restaurado, e como acontece muitas vezes em casos semelhantes, seguiu-se profundo e admirável silêncio. Sendo então solicitado a abrir a tampa cumpri a tarefa, sem dúvida, "com muito prazer".

Inseri um cinzel e dando-lhe umas leves marteladas, a tampa da caixa subitamente se abriu, e, no mesmo instante, saltou, em posição de quem está sentado, encarando diretamente o anfitrião, o corpo ensanguentado e quase podre do assassinado Sr. Shuttlewothy.

Contemplou em cheio, durante poucos segundos, fixa e tristemente, os olhos decadentes e sem brilho, o rosto do Sr. Goodfellow; que, pronunciou as palavras:

"Tú és o homem!", e depois, caindo sobre um lado do peito, como se totalmente satisfeito, esticou os membros, tremendo, sobre a mesa.

A cena que se seguiu está além de qualquer descrição. A corrida para as portas e janelas foi terrível, e muitos dos homens robustos que se achavam na sala perderam por completo os sentidos, tomados de pânico. Mas depois da primeira e selvagem explosão de tumultuoso terror, todos os olhos se voltaram para o Sr. Goodfellow. Se mil anos viver, jamais poderei esquecer a agonia mais do que mortal que se estampava naquele seu rosto lívido, até então ébrio de triunfo e de vinho. Durante um tempo, conservou-se ele sentado, rígido, como uma estátua de mármore. Seus olhos pareciam, na intensa vacuidade do olhar, ter-se voltado para dentro, absorvendo-se na contemplação de sua própria alma, miserável e assassina. Afinal sua expressão pareceu reacender-se, subitamente, para o mundo exterior quando, num salto lépido, pulou da cadeira e, caindo, pesadamente, com a cabeça e os ombros sobre a mesa, em contato com o cadáver, esboçou, rapidamente e veementemente, uma pormenorizada confissão do horrível crime pelo qual estava preso o Sr. Pennifeather. O que ele contou foi o seguinte: acompanhou sua vítima até a vizinhança do brejo; ali atirou no seu cavalo, com uma pistola; matou o cavaleiro com a coronha da arma; apossou-se de sua carteira e, supondo que o cavalo estava morto, arrastou-o com esforço até as sarças junto do brejo. Em seu próprio animal, colocou o cadáver do Sr. Shuttleworthy e assim o levou até um esconderijo seguro e distante, através das matas.

O colete, a faca, a carteira e a bala foram colocados por ele nos lugares em que foram encontrados, para se vingar de Sr. Pennifeather. Também tramou a descoberta do lenço e da camisa manchados. Já para o fim daquela narrativa, de fazer gelar o sangue, as palavras do miserável assassino vacilaram e ficaram vazias. Quando a confissão chegou afinal a termo, ele se levantou, afastando cambaleante da mesa e caiu... morto.

Os meios pelos quais aquela oportuna confissão foi extorquida, embora eficientes, eram na realidade simples. O excesso de franqueza do Sr. Goodfellow tinha me enjoado e excitado minhas suspeitas, desde o princípio. Eu estava presente quando o Sr. Pennifeather havia batido nele, e a odiosa expressão que revelou na sua fisionomia, embora momentânea, assegurou-me que sua ameaça de vingança seria, se possível, rigorosamente executada. Eu estava preparado para observar as manobras de "Carlito Velho", a uma luz bem diversa daquela a que as viam os bons cidadãos de Rattleburgo. Vi imediatamente que todas descobertas criminosas partiam, quer direta, quer indiretamente, dele. Mas o fato que claramente me abriu os olhos à verdadeira situação do caso foi a bala, encontrada pelo Sr. Coodfellow na carcaça do cavalo. Eu não havia esquecido, embota rattleburgueses o houvessem, que havia um buraco no lugar onde tinha penetrado no cavalo e outro por onde ela saíra. Se, fora encontrado no animal depois de haver saído, é que evidente ali teria sido depositada pela pessoa que a encontrou.

A camisa ensanguentada e o lenço confirmavam a ideia sugerida pela bala, pois o sangue examinado revelou-se não ser mais do que excelente clarete. Quando pensei nessas coisas, e também no recente aumento de generosidade e gastos da parte do Sr. Goodfellow, suspeitei ainda mais, porque a conservava totalmente para mim mesmo.

Iniciei uma rigorosa pesquisa particular do cadáver do Sr. Shuttleworthy, e, com bons fundamentos, minhas pesquisas eram em lugares os mais divergentes possíveis daqueles aonde o Sr. Goodfellow conduzira seus acompanhantes. O resultado foi que, depois de alguns dias, encontrei um velho em um poço seco, cuja boca estava oculta pelas sarças, e ali, no fundo, descobri o que procurava.

Ora, aconteceu que eu havia ouvido a conversa entre os dois amigos quando o Sr. Goodfellow tinha levado seu anfitrião a prometer-lhe uma caixa de Château Margaux. Baseado nessa sugestão, arranjei um pedaço de barbatana de baleia, enfiei-o pela garganta do cadáver e depositei este último numa velha caixa de vinho, tomando o cuidado de dobrar o corpo de modo a dobrar a barbatana dentro dele. Desta maneira, tive de fazer forte pressão na tampa, para conservá-la fechada, enquanto a segurava com pregos. E previ, sem dúvida, que logo que estes últimos fossem removidos a tampa saltaria e o corpo se levantaria.

Preparei a caixa, marquei-a, numerei-a e enderecei-a como já foi dito; e depois, escrevendo uma carta em nome dos comerciantes de vinho com quem o Sr. Shuttleworthy estava em relações, dei instruções a meu criado para colocar a caixa na porta do Sr. Goodfellow, num carro de mão, a dado sinal meu.

A respeito das palavras que eu queria que o cadáver pronunciasse, confiava eu nas minhas habilidades de ventríloquo. Quanto a seu efeito contava com a consciência do miserável assassino.

Acredito que não haja mais nada a ser explicado. O Sr. Pennifeather foi libertado, herdou a fortuna de seu tio, lucrou com as lições da experiência, virou uma nova página e levou, feliz para sempre, uma nova vida.

O ENTERRO PREMATURO

The Premature Burial, 1844

Alguns assuntos são de interesse cativante, mas que, por serem demasiadamente horríveis, correspondem mal às finalidades legítimas da literatura de ficção. O contista deve evitá-los, se não quiser provocar a aversão ou a indignação. Só é conveniente se forem tratados com severidade e veracidade.

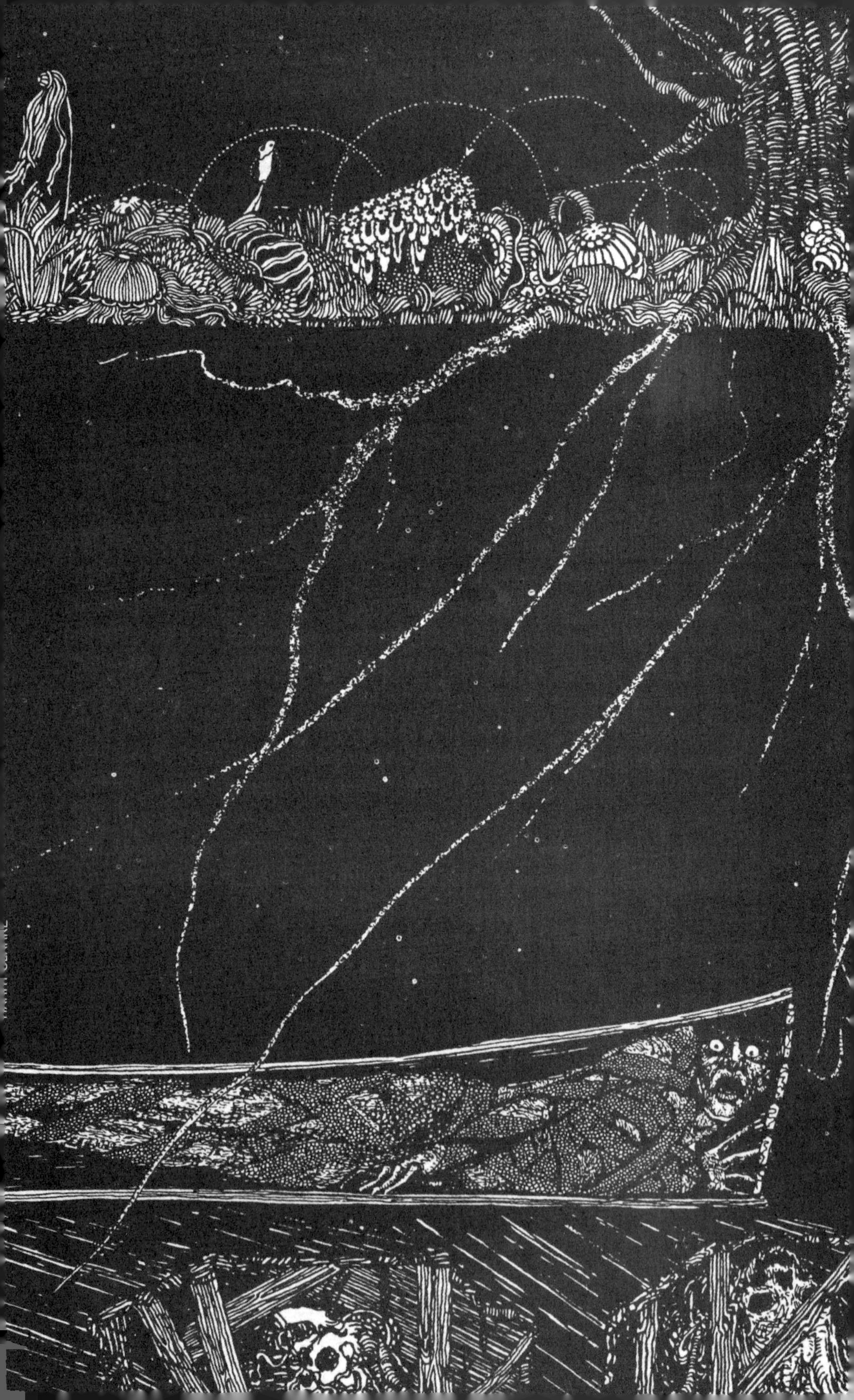

Acredito que todos ficaram horrorizados com o que ocorreu durante a batalha em Beresina, o terremoto de Lisboa, a peste de Londres, o massacre de São Bartolomeu, a agonia dos cento e vinte e três prisioneiros sufocados na Caverna Negra em Calcutá. Mas nesses casos, a verdadeira história atrai a nossa atenção. Se fossem histórias inventadas, apenas nos causariam uma certa repulsa.

Acabo de mencionar algumas das calamidades mais famosas que aconteceram; mas, em cada um desses casos, a amplitude atua tão fortemente sobre a imaginação quanto o caráter da desgraça. Eu poderia extrair do imenso e lúgubre catálogo das misérias humanas exemplos particulares mais carregados de profundo sofrimento do que qualquer um desses imensos acúmulos de infortúnios.

A verdadeira desgraça é individual e não coletiva. A maioria das situações mais assustadoras de agonia são vivenciadas quando estamos sozinhos e não em uma multidão.

Ser enterrado vivo, certamente, constitui a mais pavorosa situação a que se possa ver reduzido um habitante deste mundo. Além dessa conclusão óbvia, existem relatos médicos e depoimentos de algumas pessoas que comprovam que o enterro de pessoas vivas ocorre frequentemente. As fronteiras entre a vida e a morte permanecem, para nós, obscuras e imprecisas. Quem sabe onde acaba uma e começa a outra? Sabemos que existem doenças nas quais todas as funções sensíveis da vitalidade se interrompem totalmente, sem que em tal fato haja outra coisa além daquilo que se chama suspensão; paradas temporárias do funcionamento do corpo humano.

Concluímos que este tipo de doença causou, muitas vezes, o sepultamento de pessoas ainda vivas. Eu poderia mencionar uma centena de casos como esses, mas um deles é inesquecível. Não longe daqui, em Baltimore, cujos pormenores talvez estejam presentes na memória de mais de um dos meus leitores, pois provocou uma impressão dolorosa e intensa, que se espalhou até muito longe. A mulher de um dos cidadãos mais respeitados, jurista eminente e membro do congresso, foi atacada por súbita e inexplicável doença que desafiou os seus médicos. Depois de muito sofrimento, ela foi considerada morta. Ninguém suspeitou, nem tinha razão para suspeitar, que não estivesse de fato morta. Ela apresentava todos sinais de morte: seu rosto apresentava a usual inexpressão cadavérica, seus lábios estavam roxos, seu corpo esfriou e seu pulso cessou. Passaram três dias sem enterrá-la e manifestou-se uma rigidez de pedra. O sepultamento foi acelerado por causa do rápido progresso daquilo que foi tomado pela decomposição.

A senhora foi colocada em seu mausoléu da família, que não foi aberto nos três anos seguintes. Após todo esse tempo, o túmulo foi aberto para receber um outro caixão, mas, que desgraça, que choque tremendo aguardava ao marido, que foi quem abriu, pessoalmente, a porta: quando lhe caiu nos braços, com um ruído seco, um objeto envolto em branco: era o esqueleto de sua mulher, em sua mortalha que ainda se encontrava em bom estado.

Um exame cuidadoso revelou que ela voltara à vida menos de dois dias após seu enterro; que, ao se debater no caixão, que estava colocado na borda de uma prateleira, fizera-o cair por terra onde ele se despedaçara, libertando-a. Uma lamparina, que havia sido deixada cheia de óleo no interior do sepulcro, foi encontrada vazia, mas isso talvez pudesse ser atribuído à evaporação. No degrau mais elevado da escada que conduzia à câmara terrível, encontrava-se um grande pedaço do caixão, com o qual ela devia ter-se esforçado por chamar a atenção, batendo com ele na porta de ferro. Enquanto batia, sem dúvida desfalecera ou então morrera realmente de pavor; na queda, sua mortalha deve ter ficado presa em alguma saliência da grade. E o corpo, assim sustentado, decompôs-se, sem cair.

Em 1810, ocorreu na França um outro caso de sepultamento de pessoa viva, acompanhado de circunstâncias que demonstram perfeitamente a veracidade da afirmativa corrente de que a verdade é mais estranha que qualquer ficção. A heroína da história foi a bela srta. Vitorina Lafourcade, jovem de família ilustre e rica. Entre seus numerosos pretendentes encontrava-se Juliano Bossiet, um pobre escritor e jornalista de Paris. Seus talentos e suas maneiras, sob todos os aspectos, tinham chamado a atenção da herdeira que parece tê-lo amado; todavia, o orgulho de sua raça levou-a, finalmente, a rejeitá-lo para casar com o sr. Renelle, banqueiro e diplomata famoso. Depois do casamento, ele talvez a tenha tratado bem mal. Após ter vivido com o marido alguns anos infelizes, ela morreu, ou pelo menos pareceu tão bem morrer, que seu aspecto enganou a todos que a viram. Foi enterrada, não em um mausoléu, mas em uma sepultura comum, no cemitério de sua aldeia natal. Desesperado e ainda sentindo um imenso afeto, o apaixonado viajou de Paris para a província distante onde se encontra essa aldeia, na intenção romântica de exumar o cadáver e obter um dos cachos da cabeleira da amada. À meia-noite, ele chegou ao cemitério onde estava o túmulo de sua amada. Ele desenterrou o caixão e o abriu. No momento em que cortava as tranças de seu cabelo, ele observou os olhos de sua amada se abrindo. Ainda havia certa vitalidade nela. Graças às carícias de seu amado, ela foi despertada de um estado letárgico, que havia sido confundido com sua morte. Ele a levou até sua própria habitação na aldeia. Lançou mão de certos fortificantes poderosos graças ao seu conhecimento de medicina. Para resumir, ela sobreviveu. Reconheceu seu salvador. Ficou com ele todo o tempo necessário para recuperar inteiramente sua saúde. Seu coração de mulher não era inflexível e essa derradeira prova de amor foi o bastante para comovê-la. Não voltou para o marido e, ocultando sua ressurreição, partiu com o amante para a América. Vinte anos mais tarde, os dois regressaram à França, convencidos de que o tempo transformara o aspecto da senhora em questão o suficiente para que seus amigos não a pudessem reconhecer. Mas enganavam-se, porque na primeira vez em que a encontrou, o sr. Renelle reconheceu-a, e reivindicou-a como sua mulher. Ela não concordou e os tribunais homologaram sua resistência, decidindo que as circunstâncias peculiares, bem como o tempo decorrido, tinham anulado a autoridade marital, não somente sob o ponto de vista da equidade, como sob o legal.

O "Jornal de Cirurgia" de Leipzig — um jornal de grande prestígio, que constitui autoridade e que devia ser traduzido e republicado por algum editor americano — relata em número recente acontecimento muito semelhante.

Um oficial de artilharia, homem de grande estatura e de saúde muito robusta, foi atirado ao chão por um cavalo e recebeu na cabeça uma contusão grave que o fez imediatamente perder os sentidos. Ele sofrera uma pequena fratura do crânio, mas não se pensou que estivesse em perigo iminente. Fizeram-lhe uma trepanação com êxito. Sangraram-no e recorreram a muitos recursos para aliviar a dor. Mas, gradativamente, ele foi caindo num estado de estupor cada vez mais grave e por fim pareceu morrer.

O tempo estava quente e enterraram-no, com uma precipitação imprópria, em um dos cemitérios públicos. O sepultamento aconteceu numa quinta-feira. No domingo seguinte, como é costume nesse dia, o cemitério estava repleto de visitantes. Por volta do meio-dia verificou-se uma perturbação considerável quando um camponês declarou que, estando sentado sobre a sepultura do referido oficial, percebera claramente que a terra se mexia, como se alguém estivesse debatendo-se debaixo dela. A princípio, suas palavras não mereceram grande atenção, mas seu evidente terror, sua insistência teimosa em afirmar sua história, acabaram por impressionar a multidão. Foram buscar apressadamente pás, e a sepultura, escandalosamente pouco profunda, logo se encontrou bastante escavada para mostrar a cabeça do homem. Este parecia de fato morto, mas estava sentado quase por completo no caixão cuja tampa ele conseguira levantar parcialmente, graças a esforços.

Transportaram-no imediatamente para o hospital mais próximo, onde verificaram que estava vivo, embora em estado de asfixia. Algumas horas depois ele voltou a si, reconheceu as pessoas e contou, em frases entrecortadas, as horas de tortura que passara no túmulo.

Sua narrativa revelou que ele permanecera consciente pelo menos uma hora durante o sepultamento, antes de ficar insensível. A cova fora enchida descuidadamente com uma terra muito porosa e era inevitável que certa quantidade de ar a atravessasse. Ele ouviu sob sua cabeça o ruído de passos e esforçou-se em se fazer ouvir por sua vez. Foi pelo rumor da multidão, disse, que lhe pareceu despertar de um sono profundo; mal acordou, porém, pôde avaliar todo o horror de sua pavorosa situação.

De acordo com os registros, ele conseguia se recuperar bem. Entretanto, acabou sucumbindo vítima de experimentos médicos desastrosos. Em uma das experiências, num teste com bateria galvânica, foi aplicada uma descarga elétrica muito intensa, causando a sua morte.

Outro fato ocorreu em 1831 e produziu profunda impressão em todos os lugares onde foi conhecido. O paciente, Sr. Edward Stapleton, morrera, aparentemente, em consequência de tifo acompanhado de sintomas anormais que tinham despertado a curiosidade dos médicos. Quando pareceu morto, pediram aos seus familiares que consentissem numa autópsia, mas eles recusaram. Como muitas vezes acontece diante de semelhantes recusas, os médicos resolveram exumar o corpo para dissecá-lo, em segredo. As medidas necessárias foram facilmente tomadas com o auxílio de um desses ladrões de cadáveres que não faltam em Londres; e na terceira noite consecutiva ao sepultamento, o suposto cadáver foi retirado de sua sepultura, de oito pés de profundidade, e colocado na sala de autópsia de um hospital particular. Depois de ter sido praticada no abdômen uma incisão bastante grande, o aspecto do corpo, que estava fresco e não revelava nenhum sintoma de decomposição, sugeriu a aplicação da bateria. As experiências e os efeitos habituais se verificaram sem que coisa alguma os caracterizasse, em particular, a não ser que, numa ou duas ocasiões, as convulsões provocadas lembraram as de uma pessoa viva.

O sol já estava quase nascendo, quando decidiram iniciar a dissecação. Um residente, que estava motivado a provar sua teoria, insistiu que fosse aplicado um estímulo elétrico no músculo peitoral. Ele realizou uma incisão e inseriu um fio. O paciente, com um movimento precipitado, mas de modo algum convulsivo, levantou-se da mesa, caminhou até o meio do aposento, andou de um lado para o outro, durante alguns segundos, com olhares perturbados, depois parou. O que ele disse foi incompreensível, mas pronunciou palavras perfeitamente audíveis. Depois de ter falado, desmaiou.

Todos ficaram um momento paralisados pelo terror; mas depressa recuperaram a presença de espírito. Compreenderam que o sr. Stapleton estava vivo, embora desmaiado. Logo ele voltou a si e, depressa, recuperou a saúde, sendo então restituído a seus amigos, que só foram avisados de sua ressurreição depois de afastado todo o receio de recaída. Vocês podem imaginar o espanto de todos quando souberam o que aconteceu.

Mas a mais empolgante particularidade do caso reside no que o próprio sr. Stapleton contou. Declarou que em nenhum momento se encontrara em estado de insensibilidade total, que percebera de maneira perturbada tudo o que lhe acontecia, desde o momento em que os médicos o declararam "morto" até aquele em que caiu desfalecido no assoalho do hospital. "Estou vivo"— eis as palavras incompreensíveis que, ao reconhecer a câmara de autópsia, ele havia tentado pronunciar no meio da sua aflição.

Seria fácil contar muitas histórias desse gênero, mas evito fazê-lo, porque na verdade não precisamos disso para demonstrar que acontecem enterros prematuros. Se nos lembrarmos quão raras são, pela própria natureza dos casos, as ocasiões de descobri-los, não poderemos deixar de admitir que "muitas vezes" isso pode ocorrer à nossa revelia. E, quando um cemitério sofre uma modificação de alguma importância, encontram-se esqueletos em posições que sugerem as suspeitas mais pavorosas.

Sim, a suspeita é pavorosa; mais pavoroso ainda, porém, é semelhante fim! Pode-se afirmar, sem hesitação, que "nenhum" acontecimento é mais próprio para provocar o infortúnio do corpo e da alma do que ser enterrado vivo! A opressão intolerável dos pulmões, os vapores sufocantes da terra úmida, a mortalha grudada no corpo, a rigidez das tábuas, a sombra da noite absoluta, o silêncio profundo, a presença invisível, mas palpável, do verme; tudo isto e o pensamento do ar e da relva que estão à superfície, a recordação dos amigos queridos que iriam ao nosso socorro se soubessem de nosso destino e a consciência de que "jamais", saberão desse destino em que nós estamos colocados, sem esperança, entre os verdadeiros mortos —, essas reflexões, digo, provocam no coração que ainda palpita um grau de horror inconcebível, que faz recuar a imaginação mais audaciosa. Não podemos imaginar coisa mais atroz sobre a terra, nem podemos sonhar com coisa alguma que, nas profundezas do inferno, seja tão horripilantes quanto essa. E, por tais motivos, qualquer narrativa referente a esse assunto oferece grande interesse; mas um interesse que, em consequência do horror sagrado do próprio assunto, depende muito de nossa convicção de que o caso relatado seja verdadeiro. O que tenho a dizer é de meu conhecimento próprio e de minha experiência pessoal e positiva.

Há muitos anos eu era sujeito a ataques de uma estranha perturbação que os médicos concordam em chamar catalepsia, na ausência de uma denominação definitiva. Embora as causas imediatas e as predisponentes e mesmo os diagnósticos permaneçam incertas, compreende-se de modo satisfatório seu caráter aparente e manifesto. As variações são principalmente de grau. Às vezes a vítima fica apenas um dia, ou mesmo um lapso de tempo menor imersa numa espécie de letargia exagerada. Está privada de consciência e seu corpo fica imóvel. Mas ainda se podem perceber as fracas pancadas do coração: no centro das faces ainda há uma palidez, e, quando se aplica aos lábios um espelho, pode-se descobrir uma atividade entorpecida, irregular, indecisa, dos pulmões. Em outros casos de catalepsia, o exame mais meticuloso e as experimentações médicas mais rigorosas não conseguem estabelecer a menor distinção entre o estado do doente e aquilo que consideramos morte. Geralmente, a vítima só é salva do enterro prematuro pelo fato de os amigos saberem que ela é sujeita a ataques de catalepsia, pelas dúvidas que isso logo provoca e principalmente pela ausência de decomposição. Por felicidade, a evolução da doença é lenta. As primeiras manifestações nada têm de equívocas. Os acessos tornam-se cada vez mais distintos e cada um deles é sempre mais prolongado que o anterior. É nisto que consiste a principal proteção contra o enterro prematuro; o desgraçado, cujo "primeiro" ataque oferecesse esse caráter extremo de que há exemplo, estaria quase que inevitavelmente condenado à sepultura. Meu caso não diferia daqueles que os livros de medicina mencionam. Às vezes, sem causa aparente, caía pouco a pouco num estado de meia síncope, ficava meio desmaiado.

E então, sem sofrer, sem poder mexer-me, nem propriamente pensar, mas conservando uma sensação confusa e letárgica de minha existência, e daqueles que rodeavam meu leito, eu ficava assim até que a última fase da enfermidade me fizesse voltar de súbito a uma perfeita consciência de mim mesmo. Outras vezes, eu era acometido rápida e brutalmente. Um mal-estar, um torpor, um frio, uma vertigem me dominava e eu prostrado. Depois, durante semanas inteiras era o vazio, a sombra, a noite: meu universo era reduzido ao nada. O aniquilamento total não seria mais absoluto. Porém, nos ataques mais recentes, percebi que eu despertava mais lentamente quanto mais súbito era o início da crise.

A não ser minha tendência para essas crises, meu estado geral de saúde parecia bom. E eu não conseguia acreditar que fosse vítima da moléstia predominante, a menos que ela devesse ser considerada como sintoma adicional e caráter particular de meu "sono" cotidiano. De fato, todas as vezes que eu despertava, não podia recuperar completamente meus sentidos e passava vários minutos extremamente perplexo e perturbado com minhas faculdades mentais de um modo geral, mais particularmente a memória, em estado de absoluta suspensão.

Não havia nenhum sofrimento físico naquilo que eu suportava, mas sim uma confusão mental. Minha imaginação voltou-se para as coisas macabras. Eu falava de vermes, de sepulturas, de epitáfios. Perdia-me em devaneios de morte e o pensamento do enterro prematuro não se afastava da minha mente. Essas ideias me perseguiam noite e dia. De dia a tortura que meus pensamentos me infligiam era intensa; de noite, ela alcançava o seu auge. Quando a sombra medonha cobria a terra, sacudida pelo horror desses pensamentos, eu tremia. Ao anoitecer, com todos os horrores dentro de minha mente, eu estremecia como plumas de um adorno dos cavalos de um carro funerário. Quando a natureza não podia suportar por mais tempo a insônia, era só depois de muito esforço para resistir que eu sucumbia ao sono, porque estremecia ao pensamento de que ao despertar, poderia encontrar-me instalado numa cova mortuária. E quando por fim conseguia dormir, o sono me fazia entrar em um mundo de fantasmas, sobre o qual flutuavam as asas negras e tenebrosas de uma imagem sepulcral.

Das incontáveis imagens de luto que assim vinham me atormentar em meus sonhos, escolho para recordar apenas uma visão solitária. Pareceu-me que eu estava mergulhado num estado cataléptico e mais prolongado que costume. De repente, uma mão gelada pousou em minha testa e uma voz impaciente e inarticulada murmurou em meu ouvido a palavra "Levante!"

Levantei-me. Reinava a mais profunda obscuridade. Eu não podia distinguir aquele que tinha me acordado. Impossível lembrar-me do momento em que caíra em catalepsia e do lugar em que me encontrava. Como continuava imóvel, esforçando-me em reunir minhas ideias, a mão gelada agarrou-me com brutalidade o punho, sacudiu-o furiosamente e a voz inarticulada gritou:

— Levanta! Não mandei você se levantar?

— E quem é você? — perguntei.

— Não tenho nome nas regiões que habito — replicou a voz em tom lúgubre. — Fui mortal, mas sou demônio. Era implacável, mas sou clemente. Veja que estou tremendo. Enquanto falo, meus dentes batem. Não é por causa do frio da noite — o frio da noite sem fim. Mas tamanha hediondez é insuportável. Como você pode dormir tranquilo? O grito dessas grandes desgraças impede-me de repousar. Esses espetáculos excedem o que eu posso suportar. Vem, levanta-te! Vem comigo para a noite exterior e deixa-me abrir para ti as sepulturas. Não é esse um espetáculo horroroso? Olha!

Olhei, e a forma invisível que apertava o meu punho abrira as sepulturas de toda a raça humana; de cada uma delas saía uma fraca claridade fosforescente da decomposição, pelo que meu olhar podia penetrar até os últimos refúgios, neles contemplava os corpos que, envoltos em suas mortalhas, partilhavam com o verme o seu último sono. Mas, aí! O número de verdadeiros dormentes era em muitos milhões inferior ao número daqueles que não dormiam, e eu distinguia fracos esforços. Por toda parte podia ver lamentável inquietação e das profundezas das incontáveis sepulturas subia o melancólico sussurro das mortalhas. E entre aqueles que pareciam repousar tranquilos, vi que havia um grande número que modificara, em gradações mais ou menos apreciáveis, a posição rígida e pouco cômoda em que ficaram quando foram enterrados. E enquanto eu olhava, a voz falou novamente:

— Oh, não é um espetáculo digno de piedade?

Mas antes que eu respondesse, a forma soltara meu pulso, as luzes fosforescentes se desvaneceram e, com um choque repentino, as sepulturas se fecharam, ao mesmo tempo que delas saía um tumulto de gritos desesperados, que repetiam:

— Não é — oh, meu Deus! —um espetáculo digno de piedade?

Visões como essas que aconteciam de noite prolongavam muito tempo sua influência após meu despertar. Meus nervos ficavam inteiramente à flor da pele e causavam-me terrores incessantes. Eu hesitava em montar a cavalo, caminhar ou fazer qualquer exercício capaz de me afastar de minha casa. Na realidade, não ousava distanciar-me da presença imediata daqueles que conheciam minhas predisposições para a catalepsia, temeroso de que, vítima de um de meus costumeiros ataques, eu fosse enterrado antes de terem se certificado minha verdadeira condição.

Passei a não confiar na boa vontade, na fidelidade de meus amigos mais queridos. Receava que, durante uma catalepsia excepcionalmente prolongada, que eles deixassem de me considerar perdido. Chegava mesmo a temer que, como eu dava infinitas preocupações, adviesse o dia em que eles aproveitariam o pretexto de um ataque muito demorado como desculpa suficiente para se livrarem definitivamente de mim. Em vão, eles se esforçavam em me tranquilizar com as mais relevantes promessas. Eu exigia os juramentos mais sagrados de que eles não me enterrariam, em circunstância alguma, até o momento em que a decomposição de meu corpo estivesse adiantada o bastante para impossibilitar que me conservassem por mais tempo. E, mesmo assim, meus terrores mortais recusavam-se a se deixar convencer e não aceitavam nenhuma consolação. Dediquei-me a organizar toda uma série de precauções. Entre outras coisas, mandei reformar o mausoléu da família, de forma que se pudesse facilmente abri-lo pelo lado de dentro. Havia também dispositivos para facilitar a entrada de ar e luz, receptáculos cômodos destinados à alimentação e à água, e colocados bem ao alcance do caixão que me estava destinado. O caixão era quente e acolchoado, provido de uma tampa construída de acordo com o mesmo princípio da porta do sepulcro, contendo, além disso, molas colocadas de maneira que o menor movimento do corpo bastasse para abri-lo. Para concluir, do teto do túmulo pendia um grande sino preso a uma corda, cuja outra extremidade devia passar por um buraco feito no ataúde e ser presa a uma das mãos do cadáver. O que pode a vigilância contra o destino de um homem? Nem mesmo todos os dispositivos de segurança bastaram para me salvar da agonia de ser enterrado vivo.

Houve uma ocasião, como muitas vezes já havia acontecido, em que eu senti passar de uma inconsciência total à primeira sensação, bem fraca e indefinida, de viver. Aproximou-se a aurora cinzenta, imperceptível da claridade interior. Torpor e mal-estar. Uma dor surda suportada com apatia. Nenhuma preocupação, nenhuma esperança, nenhum esforço. Depois, um longo intervalo silencioso, quando os sentimentos despertos lutavam contra os pensamentos adormecidos. Depois, mais um breve mergulho no nada. E depois, uma volta súbita. Finalmente, o fraco tremer de uma pálpebra e imediatamente o choque elétrico de um terror mortal e indefinido que expulsa o sangue em torrentes das têmporas para o coração. E, depois, o primeiro esforço positivo para pensar. Uma primeira tentativa de me lembrar. Aos poucos minha mente voltava a assumir o controle. Enfim, estava consciente do meu estado. Sabia que não estava despertando de um sono comum. Tive uma crise de catalepsia. E depois, por fim, como que sob o impulso de um acesso, meu espírito que estremece é prostrado pelo único perigo terrível, pela única, espectral, sempre dominadora ideia.

Depois de ocorrida essa ideia, ainda permaneci alguns minutos imóvel. E por quê? Eu não podia ordenar à coragem que me mexesse. Não ousava fazer o esforço que devia convencer-me de meu destino e, contudo, qualquer coisa em meu coração me dizia que "ele era certo". Só o desespero, um desespero como nenhuma outra espécie de desgraça provoca igual, levou-me, após longa hesitação, a abrir minhas pálpebras pesadas. Abri-as, ainda era noite. Eu sabia que o ataque havia passado. Sabia que se desvanecera o efeito de minha enfermidade. Sabia que recuperara o uso de minhas faculdades visuais e, contudo, era noite absoluta, sem piedade, uma noite que não tem fim.

Tentei berrar; meus lábios, minha língua seca, moviam-se para fazê-lo, mas nenhum brado saía de meus pulmões, parecendo subjugados pelo peso de alguma montanha desmoronada, arquejavam e palpitavam, juntamente com o coração, a cada respiração difícil.

Tendo, na tentativa de gritar, movido os maxilares, verifiquei que estavam presos, como se faz com os mortos. Senti, também, que estava deitado sobre uma coisa dura e que uma substância análoga me aprisionava em ambos os lados. Ainda não ousara mover nenhum de meus membros, mas agora ergui violentamente meus braços, até então estendidos, com as mãos cruzadas. Bateram elas numa superfície de madeira colocada acima de mim, a uma distância de seis polegadas de meu rosto. Não tinha a menor dúvida de que repousava finalmente dentro de um caixão.

Então, na infinita miséria, apresentou-se em toda a sua doçura o anjo Esperança, porque eu me lembrava de minhas precauções. Contorci-me, fiz esforços para levantar a tampa, mas nada se moveu. Inutilmente, apalpei meus pulsos em busca da corda. E então, verifiquei a ausência do acolchoamento tão cuidadosamente preparado por mim e me chegou às narinas o cheiro característico da terra úmida. A conclusão era inevitável: eu não estava no meu mausoléu. Havia caído em catalepsia fora de minha casa e não podia recordar onde e quando, e tinham sido eles que me haviam enterrado como um cachorro pregado num caixão comum e mergulhado para sempre, em alguma cova comum, sem nome.

E como essa convicção atroz penetrava até o mais fundo de minha alma, fiz um novo esforço para gritar a plenos pulmões. E essa segunda tentativa deu resultado. Um grito prolongado, selvagem, ininterrupto, um uivo de agonia soou através do reino da "Noite Subterrânea".

— Ei! Ei, olhe aqui! — respondeu uma voz rude.

— Que há, que diabo! — disse outra.
— Pare com isso! — disse uma terceira voz.
— Que está acontecendo com você para gritar assim? — disse uma quarta.

E nisso fui agarrado e sacudido, sem cerimônias, durante muitos minutos, por um bando de indivíduos de aspecto muito grosseiro. Não me acordaram, porque eu estava perfeitamente desperto, quando gritei, mas me restituíram completamente a memória.

Essa aventura aconteceu em Richmond. Acompanhado por um amigo, eu descera, durante uma caçada, algumas léguas ao longo do rio James. Quando a noite se aproximava, fomos surpreendidos por uma tempestade. O único abrigo que encontramos foi o compartimento de uma pequena cabine de uma embarcação que estava ancorada, cheia de húmus. Instalamo-nos e passamos a noite toda a bordo. Dormi em um dos dois beliches que era tudo o que a embarcação possuía, e é fácil imaginar o que possam ser os beliches de uma embarcação de sessenta ou setenta toneladas. Aquele que eu ocupava não possuía colchão ou roupa de cama de espécie alguma. Sua largura máxima era de dezoito polegadas e não era maior à distância entre o fundo e o convés sobre o qual ele ficava. Foi com dificuldade que consegui meter-me nele. Contudo, dormi muito bem e toda a minha visão, porque não foi absolutamente um sonho, mas um pesadelo; proveio, de maneira muito natural, das circunstâncias de minha posição, dos pendores habituais de meu pensamento e aquela dificuldade, já mencionada, de reunir minhas ideias, e principalmente de recuperar a memória durante um período bastante longo, consecutivo ao despertar. Os homens que me sacudiram eram a tripulação, bem como alguns operários contratados para a descarga. O cheiro de terra provinha da própria carga. E a atadura de meu queixo era um lenço de seda que eu prendera em volta da cabeça, na falta de meu gorro de dormir.

Apesar de tudo, as torturas que sofri foram indiscutivelmente comparáveis, enquanto duraram, às de um sepultamento verdadeiro. Foram inconcebivelmente horrorosas, mas o bem se origina do mal, porque esse próprio excesso provocou em meu espírito uma reação inevitável. Dele, a minha alma saiu regenerada. Viajei. Fiz muito exercício. Respirei o ar puro. Parei de pensar na morte. Joguei fora meus livros de medicina e queimei outros. Parei de ler livros como "Pensamentos noturnos", nem exemplares sobre cemitérios de igreja, contos tenebrosos, como este. Pensei em assuntos diferentes da morte. Resumindo, tornei-me outro homem e vivi a vida de um homem. A partir daquela noite memorável, afugentei para bem longe os meus temores macabros e com eles desapareceram as desordens catalépticas, de que talvez fossem menos a consequência que a própria causa.

Há momentos em que, mesmo aos olhos da razão, o mundo habitado pela triste humanidade pode revestir a aparência do inferno. Mas a imaginação do homem não deve vagar impune, explorando livremente todas as suas cavernas.

Estes pavores sepulcrais não podem ser considerados apenas frutos de nossa imaginação. Devemos deixá-los repousar, ou perecer.

HOP-FROG

Hop-Frog Or the Eight Chained Ourang-Outangs, 1849

Nunca conheci ninguém tão interessado em uma piada quanto o rei. Parecia viver apenas para brincadeiras. Contar uma boa piada do gênero jocoso, e contá-la bem, era o caminho mais seguro para ganhar-lhe as boas graças. Por isso acontecia que seus sete ministros eram todos notáveis por sua perícia na arte da zombaria. Todos eram parecidos com o rei, também, por serem grandes, corpulentos e gordos, bem como inimitáveis farsantes. Se é a brincadeira que faz engordar ou se há algo na própria gordura que predispõe à zombaria, nunca fui capaz de entender totalmente, mas o certo é que um trocista magro é uma rara *avis in terris (rara ave na terra)*. Quanto às sutilezas ou, como ele as chamava, o "espectro do talento", pouco se incomodava o rei com elas. Tinha admiração especial pela largura numa troça e a digeria em comprimento por amor a ela. As coisas demasiadamente delicadas o entediavam. Teria dado preferência ao Gargântua, de Rabelais, em lugar do Zadig, de Voltaire e, sobretudo, gostava mais das piadas de ação do que as verbais. Na época de minha narrativa, os bobos da corte profissionais não estavam totalmente fora de moda. Muitas das grandes potências continentais mantinham ainda seus bobos que usavam traje de palhaços com carapuças de guizos e cuja obrigação era estarem sempre prontos com boas anedotas, em troca das migalhas caídas da mesa real. Nosso rei, como é natural, mantinha seu bobo. O fato é que ele sentia a necessidade de algo, no gênero da loucura, sem falar de si mesmo, que contrabalançasse a sabedoria dos sete sábios, seus ministros. Seu bobo, ou jogral profissional, não era, porém, apenas um bobo. Tinha mais valor, aos olhos do rei, pelo fato de ser anão e coxo. Os anões eram, naquele tempo, tão comuns nas cortes como os trocistas, e vários monarcas teriam achado difícil passar o tempo ocioso sem um bobo que os fizesse rir e sem um anão para se divertirem. Mas, como já co-

ARTHUR RACKHAM

mentei, noventa e nove por cento dos trocistas são gordos, de sorte que o nosso rei muito se orgulhava de possuir um bobo, cujo nome era Hop-Frog. Acredito que o nome de Hop-Frog não foi dado pelos seus padrinhos de batismo, mas pelos sete sábios, por causa de sua impossibilidade de caminhar como os outros homens. De fato, Hop-Frog podia mover-se apenas por meio de uma espécie de passo interjetivo, algo entre um pulo e uma contorção, um movimento que provocava ilimitada diversão e, sem dúvida, consolo ao rei. Apesar da protuberância de sua pança e o inchaço estrutural da cabeça, o rei era tido por toda a sua corte como um sujeito de boa aparência. Mas embora Hop-Frog, em consequência da distorção de suas pernas, só conseguisse se mover com grande esforço e dificuldade por uma estrada ou pavimento, a prodigiosa força muscular de que a natureza parecia ter dotado seus braços, a título de compensação pela deficiência das pernas curtas, capacitava-o a executar muitas proezas, quando se tratava de árvores ou cordas, ou qualquer coisa onde se pudesse subir. Em tais exercícios era mais parecido com um esquilo ou com um macaco do que com uma rã. Não sou capaz de dizer, com precisão, de que país era Hop-Frog. Era de alguma região bárbara, porém, da qual ninguém jamais ouvira falar, a vasta distância da corte do nosso rei. Hop-Frog e uma mocinha, pouco menos anã do que ele, de corpo bem proporcionado e excelente dançarina, foram arrancados, à força, de seus respectivos lares, em províncias distantes, e enviados como presentes ao rei por algum de seus vitoriosos generais. Em tais circunstâncias, não é de admirar que uma estreita intimidade surgisse entre os dois pequenos cativos. Rapidamente se tornaram amigos jurados. Hop-Frog, que, embora não se poupasse nas suas artes de trovador, não gozava de popularidade alguma, pouco serviço podia prestar a Tripetta. Ela, porém, por causa de sua graça e rara beleza, era por todos admirada e mimada, de modo que possuía muito prestígio e nunca deixava de usá-lo, para beneficiar Hop-Frog. Em certa ocasião de imponente solenidade, não me lembro qual, resolveu o rei dar um baile de máscaras. E, quando um baile de máscaras ou qualquer outra festa dessa natureza ocorria na corte, então, tanto os talentos de Hop-Frog como os de Tripetta eram solicitados. Hop-Frog tinha muita imaginação para organizar cortejos, sugerir novas fantasias e arranjar trajes para bailes de máscaras, que nada se podia planejar, ao que parece, sem seu auxílio. Chegara a noite marcada para a festa. Um magnífico salão fora adaptado, sob a direção de Tripetta, com todas as espécies de enfeites que pudessem dar brilho à mascarada. Toda a corte se agitava em febril expectativa. Quanto aos trajes e papéis, era de supor que cada qual havia feito sua escolha previamente. Muitos já haviam determinado os papéis que desempenhariam com uma semana, ou mesmo um mês, de antecedência e, de fato, não havia a menor indecisão da parte de ninguém, exceto quanto ao rei e seus sete ministros. O motivo dessa indecisão nunca entendi, a não ser que assim fizessem por brincadeira. O mais provável é que achassem difícil, por serem tão gordos, escolher um papel aproveitável. Seja como for, o tempo corria e, como último recurso, mandaram chamar Tripetta e Hop-Frog. Os dois obedeceram às ordens do rei, e sentaram-se, para tomar vinho, em companhia dos sete membros de seu gabinete de conselho; mas o monarca estava de mau humor. Sabia que Hop-Frog não gostava de vinho, pois excitava o pobre coxo quase até à loucura, e a loucura não é um sentimento muito agradável. Mas o rei gostava de troças efetivas e divertia-se em obrigar Hop-Frog a beber e como dizia o rei, "a ficar alegre".

— Venha cá, Hop-Frog — disse ele, quando o bobo e sua amiga entraram na sala.

— Beba este copo à saúde de seus amigos ausentes, e depois nos favoreça com os benefícios de sua imaginação. Precisamos de tipos, de tipos, homem... alguma coisa de nova, fora do comum. Estamos exaustos dessa eterna mesmice. Vamos, beba o vinho para esclarecer as ideias. Hop-Frog tentou, como de costume, lançar uma troça em resposta às propostas do rei, mas o esforço foi demasiado. Aquele era o dia do aniversário do pobre anão e a ordem "à saúde de seus amigos ausentes" enchera-lhe os olhos de lágrimas. Grandes e amargas gotas de lágrimas caíram na taça.

— Ah, ah, ah, ah! — berrou o rei, ao ver o anão esvaziar o copo, com repugnância.

— Veja o que pode fazer um bom copo de vinho! Seus olhos já estão cintilando!

Pobre infeliz! Seus grandes olhos chispavam mais do que cintilavam, pois o efeito do vinho sobre seu cérebro era tão poderoso quanto instantâneo. Colocou a taça sobre a mesa e olhou para todos os presentes, um olhar meio louco. Todos pareciam se divertir com a troça do rei.

— E agora vamos ao que interessa — disse o primeiro-ministro, um sujeito muito gordo.

— Sim, disse o rei. — Vamos, Hop-Frog, ajude-nos. Estamos precisando de fantasias típicas.

E como isto pretendesse ser uma troça, sua risada foi repetida em coro pelos sete. Hop-Frog também riu, embora fracamente e de maneira um tanto distraída.

— Vamos... vamos! — disse o rei, com impaciência. — Não tem nada a sugerir?

— Estou tentando pensar em algo de novo — respondeu o anão com o ar desatento, pois estava completamente transtornado pelo vinho.

— Tentando! — gritou o tirano ferozmente. — O que você quer dizer com isso? Ah! Percebo. Você está de mau humor e quer mais vinho. Aqui está, beba este!

Encheu outra taça e ofereceu-a ao anão, que se pôs a ansiar sem fôlego.

— Beba, estou ordenando — berrou o tirano —, ou então, pelos diabos que...

O anão hesitava. O rei ficou rubro de raiva. Os cortesãos sorriam. Tripetta, pálida como um cadáver, foi até a cadeira do monarca e, caindo de joelhos diante dele, implorou-lhe que poupasse seu amigo. O tirano olhou — a alguns instantes, com evidente espanto, diante de sua audácia. Não sabia o que fazer ou dizer, nem como exprimir sua indignação da maneira mais adequada. Por fim, sem dizer uma palavra, empurrou-a violentamente, e jogou-lhe o conteúdo da taça cheia no rosto. A pobre anã levantou-se e, quase sem respirar, retomou sua posição ao pé da mesa. Por um tempo reinou um silêncio mortal durante o qual a queda de uma folha ou uma pena poderia ter sido ouvida. Foi interrompido por um som baixo, porém áspero e prolongado que parecia provir de todos os cantos da sala.

— Por que você está fazendo esse barulho? — perguntou o rei para o anão.

Ele parecia ter dominado, em grande parte, sua embriaguez, e, olhando sossegadamente o rosto do tirano, disse simplesmente:

— Como poderia ter sido eu?

— O som me pareceu vir de fora — observou um dos cortesãos.

— Creio que foi o papagaio na janela, afiando o bico nas varetas da gaiola.

— É verdade — disse o monarca, como se esta sugestão o houvesse aliviado. — Mas, pela honra de um cavalheiro, poderia ter jurado que era o ranger dos dentes desse anão.

O anão riu exibindo uma fileira de dentes grandes, fortes e bastante repulsivos. Além disso, ele confessou sua perfeita disposição de engolir tanto vinho quanto desejasse. O monarca foi pacificado; e tendo esvaziado outro copo sem nenhum efeito nocivo muito perceptível, Hop-Frog, imediatamente, iniciou os planos para o baile de máscaras.

— Não sei explicar qual a associação de ideias — disse ele, bem tranquilo, como se nunca houvesse provado vinho em sua vida —, mas justamente depois que Vossa Majestade empurrou a moça e jogou o vinho na cara dela, e enquanto o papagaio fazia aquele barulho estranho lá fora, na janela, veio-me ao espírito a ideia de uma extraordinária diversão, uma das brincadeiras de minha própria terra, muitas vezes executada entre nós nas nossas festas de máscaras, mas que aqui será inteiramente nova. Infelizmente, porém, requer um grupo de oito pessoas.

— Aqui estamos! — gritou o rei — rindo de sua sutil descoberta da coincidência; eu e meus sete ministros! Qual é a diversão?

— Nós a chamamos — respondeu o anão — de Oito Orangotangos Acorrentados, e é, realmente, uma excelente brincadeira quando bem representada.

— Nós a representaremos — observou o rei, levantando e baixando as pálpebras.

— A beleza da troça — continuou Hop-Frog — está no medo que causa às mulheres.

— Maravilhoso! — berraram, em coro, o monarca e seu ministério.

— Vocês irão se fantasiar de orangotangos — continuou o anão — Deixem tudo por minha conta. A semelhança será tão completa que os mascarados irão pensar que são verdadeiros animais, e sem dúvida, ficarão tão aterrorizados quanto espantados.

— Oh, isso é incrível! — exclamou o rei. — Hop-Frog, farei de você um homem!

— As correntes têm a finalidade de aumentar a confusão com seu entrechocar-se. Supõe-se que escaparam das mãos dos guardas. Vossa Majestade não pode imaginar o efeito produzido, num baile de máscaras, por oito orangotangos acorrentados, que a maior parte dos convidados julgará serem verdadeiros, dando gritos selvagens, em meio da multidão de homens e mulheres, esplendidamente trajados. O contraste não tem igual.

— E não terá mesmo! — disse o rei, e o conselho foi suspenso apressadamente, pois já era tarde para pôr em execução o plano de Hop-Frog. Sua maneira de arranjar o grupo como orangotangos foi muito simples, mas bastante eficiente, para os fins que tinha em vista. Os animais em questão tinham, na época de minha história, sido raramente vistos em qualquer parte do mundo civilizado, e como as imitações feitas pelo anão eram suficientemente parecidas com animais e mais do que suficientemente horrendas, sua semelhança com o original julgava-se estar assim assegurada. O rei e seus ministros vestiram camisas e ceroulas de elástico bem apertadas. Depois foram lambuzados com breu. Neste ponto da operação, alguém do grupo sugeriu o emprego de penas; mas a sugestão foi imediatamente rejeitada pelo anão, que logo convenceu os oito, com demonstrações oculares, que o cabelo de um animal como o orangotango era muito mais eficientemente representado pelo linho. Em consequência, foi estendida uma espessa camada dele sobre a camada de breu. Passaram uma comprida corrente em redor da cintura do rei, prendendo-o; depois, em redor de outro membro do grupo, também preso; e por fim, em redor de todos, sucessivamente do mesmo modo. Quando todo esse arranjo da cadeia foi acabado e cada um do grupo ficou o mais afastado possível do outro, formaram eles um círculo, e, para fazer todas as coisas parecerem naturais, Hop-Frog passou as pontas da corrente através do círculo, em dois diâmetros, em ângulos retos, de acordo com o método adotado nos dias que correm pelos que caçam chimpanzés ou outros grandes símios em Bornéu. O salão em que se realizaria o baile de máscaras era um aposento circular, muito elevado, recebendo a luz do sol somente por uma janela no teto. À noite, ocasião para a qual o fora especialmente destinado, era ele iluminado principalmente por um enorme candelabro pendente de uma corrente no centro da claraboia, e abaixado ou levantado, por meio de um contrapeso, como de costume; a fim de não parecer destoante, este último passava por fora da cúpula e sobre o forro. A decoração do aposento fora deixada a cargo de Tripetta; mas em alguns pormenores, parece, fora ela orientada pela opinião mais serena de seu companheiro, o anão. Fora, por sugestão deste, a remoção do candelabro. Seus respingos de cera, que em tempo tão cálido era impossível evitar, teriam sido seriamente danosos para as ricas vestes dos convidados, que, na previsão de achar-se o salão lotado, não conseguiriam evitar o centro, isto é, sair debaixo do candelabro. Novos castiçais foram colocados em várias partes do salão fora do espaço destinado às pessoas, e uma tocha emitindo suave odor foi posta na mão direita de cada uma das cariátides que se fixavam à parede, ao todo cerca de cinquenta ou sessenta. Os oito orangotangos, seguindo o conselho de Hop-Frog, esperaram pacientemente até a meia-noite, quando o salão estava repleto de mascarados, para apresentar-se. Nem bem o relógio parara de bater, porém, irromperam todos juntos para dentro da sala, pois as correntes, dificultando-lhes os movimentos, fizeram com que muitos do grupo caíssem e todos entrassem aos tropeções. A agitação entre os mascarados foi sensacional e encheu de prazer o coração do rei. Como foi previsto, muitos convidados supuseram serem aquelas criaturas animais de alguma espécie, na realidade, senão precisamente orangotangos. Muitas das mulheres desmaiaram de terror, e não houvesse o rei tido a precaução de proibir armas no salão, seu grupo logo teria expiado com sangue aquela troça. Assim, houve uma correria geral em direção das portas; mas o rei ordenara que elas fossem aferrolhadas logo depois de sua entrada, e, por sugestão do anão, as chaves ficaram em mão deste. Quando o tumulto estava no auge e cada mascarado só pensava na própria salvação, havia o perigo real no aperto da multidão agitada, na corrente da qual pendia comumente o candelabro, e que fora puxada ao ser aquele removido, e poderia ter sido vista descendo até que sua ponta em gancho chegasse a quase um metro do chão. Logo depois disso, o rei e seus sete amigos, que haviam rodado pelo salão em todas as direções, encontraram-se, afinal, no centro do salão e, naturalmente, em estreito contato com a corrente. Enquanto estavam assim, o anão os seguia silenciosamente, incitando-os a manterem a agitação, agarrou as correntes que os prendiam na interseção das duas partes que cruzavam o círculo diametralmente e em ângulos retos. Neste ponto, com a rapidez do pensamento, inseriu o gancho que costumava pender o candelabro; e num momento, como que um meio invisível, a corrente do candelabro foi suspensa o bastante para que o gancho ficasse fora do alcance e, como inevitável sequência, arrastou os orangotangos juntos, uns encostados nos outros e face a face. Os mascarados, a esse tempo, haviam-se recobrado de algum modo de seu alarme e, começando a encarar todo o caso como uma troça bem arquitetada, desataram em gargalhadas ante a situação dos macacos.

— Deixem-nos por minha conta! — berrou então Hop-Frog. — Deixem-nos por minha conta! Acredito que os conheço! Se puder dar-lhes boa olhada, poderei dizer logo quem são!

Então, subindo sobre as cabeças dos convidados, conseguiu alcançar a parede; aí, arrancando uma tocha de uma das cariátides, voltou para o centro do salão, saltou com a agilidade para cima da cabeça do rei, daí subiu pela corrente, segurando a tocha, para examinar o grupo de orangotangos e berrando, ainda:

— Descobrirei logo quem são eles! E então, enquanto todos os presentes, incluídos os macacos, que se contorciam de riso, o bobo, de súbito, emitiu um assovio agudo e a corrente subiu violentamente, a cerca de nove metros, consigo os aterrorizados orangotangos, a debaterem-se, e deixando-se suspensos no meio do espaço, entre o forro e a claraboia. Hop-Frog agarrando-se à corrente quando esta subia, mantinha ainda sua posição em relação aos oito mascarados e ainda continuava a passar a tocha por baixo deles, tentando descobrir quem eram. Completamente atônitos ficaram todos ante aquela ascensão, que se fez um silêncio mortal de cerca de um minuto. Ouviu-se um som rouco, surdo, irritante, igual àquele que atraíra a atenção e de seus conselheiros quando aquele atirara o vinho na face de Tripetta. Mas, nesse momento, não podia haver dúvida de onde o som partira. Vinha dos dentes, em forma de presas, que rangia furiosamente, com a boca a espumar, ao tempo que fitava, com expressão de ira, as faces do rei e de seus sete companheiros.

— Ah, ah, ah! — disse, por fim, o furioso bobo da corte. — Ah ah, ah! Começo agora a ver quem é esta gente! E aí fingindo examinar o rei mais de perto, encostou a tocha à roupa de linho que o envolvia e que imediatamente se tornou um lençol de vivas chamas. Em menos de meio minuto todos os orangotangos ardiam furiosamente, entre os gritos da multidão que os observava de baixo, horrorizada e sem poder ajudá-los. Por fim as chamas, crescendo subitamente, forçaram o anão a subir mais alto pela corrente, a fim de colocar-se fora do alcance delas; e, ao fazer tal movimento, de novo, todos, por um breve instante, mergulharam no silêncio. O anão aproveitou essa oportunidade e mais uma vez falou:

— Agora vejo distintamente — disse ele — que espécie de gente são estes mascarados. São eles um grande rei e seus sete conselheiros. Um rei que não tem escrúpulos em espancar uma moça indefesa, e seus sete conselheiros, que encorajam as violências. Quanto a mim, sou simplesmente Hop-Frog, o bobo da corte, e essa é a minha última troça.

Em consequência da alta combustibilidade tanto do linho como do breu a ele aderido, nem bem o anão findara seu discurso, a obra da vingança estava terminada. Os oito cadáveres balançavam-se nas correntes, massa fétida, enegrecida, apavorante, irreconhecível. O anão atirou-lhes a tocha, subiu sem problemas para o teto e desapareceu pela claraboia. Supõe-se que Tripetta, ficando no forro do salão, tenha sido a cúmplice de seu amigo em sua incendiária vingança e que juntos, tenham fugido para seu país, pois nenhum deles jamais foi visto novamente.

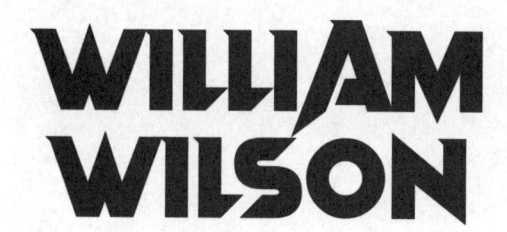

WILLIAM WILSON

William Wilson, 1839

Que me seja permitido, por enquanto, me chamar William Wilson. A página em branco que tenho diante de mim não precisa ser manchada com meu nome verdadeiro. Esse nome que já foi objeto de desprezo, de horror, de abominação para minha família. Não terão os ventos indignados divulgado a incomparável infâmia dele até as mais remotas regiões da Terra? Oh, o mais abandonado de todos os exilados! Não terá morrido para o mundo eternamente? Para suas honras, para suas flores, para suas nobres aspirações? E não está para sempre suspensa, entre sua esperança e o céu, uma nuvem espessa, sombria e sem limites? Não quereria, mesmo que pudesse reunir as lembranças de meus últimos anos de indizível miséria e um imperdoável crime. Essa época, esses últimos anos, atingiu súbita elevação de torpeza, cuja minha intenção atual é expor. Tornam-se os homens usualmente vis, pouco a pouco. A virtude se desprendeu de mim, como uma capa. De uma perversidade relativamente trivial, passei, a passadas de gigante, para enormidades maiores que as do imperador romano Heliogábalo. Que oportunidade, que acontecimento único trouxe essa maldição é o que eu peço permissão para narrar.

A morte se aproxima e a sombra que a antecede lançou sobre meu espírito sua influência suave. Anseio, ao atravessar o lodoso vale, pela simpatia, ia di-

HARRY CLARKE

zer, pela compaixão de meus semelhantes. Gostaria que acreditassem que tenho sido, de algum modo, escravo de circunstâncias superiores ao controle humano. Desejaria que eles descobrissem, entre os detalhes que estou a ponto de relatar, algum pequeno oásis de fatalidade, perdido em um deserto de erros. Gostaria que eles admitissem que, embora grandes tentações possam ter existido, nenhum homem, pelo menos, foi tentado antes e certamente jamais assim caiu. E será que por isso que ele jamais sofreu? Não teria eu, na verdade, vivido em sonho? E não estarei agora morrendo vítima do horror e do mistério da mais estranha de todas as visões entre a Terra e a lua?

Sou descendente de uma raça que se destacou, em todos os tempos, pelo seu temperamento imaginativo e facilmente excitável. E desde a mais tenra infância mostrei ter herdado o caráter da família. Com o passar dos anos, mais fortemente esse caráter ia se desenvolvendo, tornando-se, por várias razões, causa de sérias inquietações com os meus amigos e causando danos para mim mesmo. Me tornei voluntarioso, escravo dos mais extravagantes caprichos e presa das mais indomáveis paixões. Quanto aos espíritos fracos e afetados de enfermidades da mesma natureza daquela que me atormentava, meus pais não podiam fazer muito para deter as tendências más que me distinguiam. Alguns esforços fracos e malsucedidos resultavam em total fracasso, da parte deles, e, em completo triunfo da minha. Por isso minha voz era lei dentro de casa e, numa idade em que poucas crianças deixavam as suas andadores, fui abandonado ao meu próprio arbítrio e tornei-me, em tudo, menos de nome, o senhor de minhas próprias ações.

Minhas mais remotas recordações da vida escolar estão ligadas a um casarão de estilo elisabetano numa nebulosa aldeia da Inglaterra, onde havia muitas árvores gigantescas e nodosas e onde todas as casas eram extremamente antigas.

Na verdade, aquela venerável e antiga cidade era um lugar de sonho e que excitava a fantasia. Agora mesmo, sinto o arrepio refrescante de suas avenidas intensamente sombreadas, respiro a fragrância de seus mil bosques e estremeço ainda, com indefinível prazer, à lembrança do som oco e profundo do sino da igreja soando a cada hora, com súbito e soturno estrondo, a quietação da atmosfera sombria em que se embebia e adormecia o gótico campanário.

Tenho tanto prazer nas lembranças minuciosas da escola e suas preocupações. Agora me encontro imerso na desgraça; será que mereço perdão por procurar alívio, por mais ligeiro e temporário que seja, nessas poucas minúcias fracas e erradias, embora extremamente vulgares e até mesmo ridículas que assumem na minha imaginação uma importância inesperada, por estarem ligadas a uma época e lugar em que reconheço as primeiras advertências ambíguas do destino que me ofuscaram tão profundamente?

O casarão da escola, como disse, era velho e irregular. Os terrenos eram vastos e um alto e sólido muro de tijolos tinha uma camada de argamassa e cacos de vidro circundando tudo. Aquele muro, semelhante ao de uma prisão, formava o limite de nosso domínio; nossos olhos só iam além dele três vezes por semana: uma, todos os sábados à tarde, quando, acompanhados por dois regentes, tínhamos permissão de dar breves passeios em comum pela vizinhança; e duas vezes, aos domingos, quando íamos, como em parada, de uma maneira formal, ao serviço religioso da manhã e da noite, na única igreja da aldeia. O pastor dessa igreja era o diretor da nossa escola. Com um sentimento de maravilha e perplexidade eu tinha o costume de contemplá-lo de nosso distante banco na tribuna, quando, com passo solene e vagaroso, subia ele ao púlpito! Aquele personagem venerando, com seu rosto amistoso, com trajes lustrosos e tão clericalmente flutuantes, e sua cabeleira tão cuidadosamente empoada, tão firme e tão vasta, poderia ser o mesmo que, ainda há pouco, de rosto ríspido e roupas manchadas de rapé, fazia executar, de palmatória em punho, as leis draconianas da escola? Oh inacreditável paradoxo, muito monstruoso para ser resolvido! A uma esquina do muro maciço erguia-se, sombrio, um portão ainda mais maciço, bem trancado e guarnecido de ferrolhos de ferro arrematado por denteados espigões de ferro.

Que impressão de intenso terror ele inspirava! Jamais se abria senão para as três periódicas saídas e entradas já mencionadas; então, a cada rangido de seus poderosos gonzos, descobríamos uma plenitude de mistérios, um mundo de solenes observações ou de meditações ainda mais solenes.

O grande recinto era de forma irregular, possuindo muitos recantos espaçosos, dos quais três ou quatro dos mais vastos eram o campo de recreio. Era plano e recoberto de um cascalho fino e duro. Não havia árvores, nem bancos, nem qualquer coisa semelhante. Ficava, naturalmente, na parte posterior da casa. Na frente, estendia-se um pequeno jardim, onde se via muitos arbustos; mas, por entre aquela sagrada região só passávamos, em raras ocasiões, tais como a da primeira ida à escola ou a da saída definitiva, ou talvez quando com um parente ou amigo, tendo vindo buscar-nos, tomávamos o caminho da casa dos pais, ou nas férias do Natal ou do São João. Mas o casarão da escola! Que curioso lugar era aquele! Para mim, um verdadeiro palácio de encantamentos! Não havia realmente fim para as suas sinuosidades, tinha inúmeras subdivisões incompreensíveis. Era difícil, em qualquer ocasião, dizer com certeza se a gente estava em algum dos seus dois andares. De uma sala para outra era certo encontrar três ou quatro degraus para subir ou descer. Depois, as subdivisões eram tão cheias de voltas e reviravoltas que as nossas ideias mais exatas a respeito do casarão inteiro não eram diferentes daquelas com que imaginávamos o infinito.

Durante os cinco anos de minha estada ali, nunca fui capaz de determinar, com precisão, em qual local remoto estava situado o meu pequeno dormitório, bem como o de uns dezoito ou vinte outros estudantes. A sala de aula era a mais vasta do mundo, não podia deixar de pensar nisso. Era muito comprida, estreita e sombriamente baixa, com janelas em ogivas e o forro de carvalho. A um canto distante, isso me inspirava terror; havia um recinto quadrado de dois a três metros, abrangendo o *sanctum* (lugar sagrado) "durante as horas de estudo" do nosso diretor, o Reverendo Dr. Bransby. Era uma sólida construção, de porta maciça; e, ao abri-la na ausência do Mestre da Escola, teríamos todos preferido morrer *de la peine forte et dure* (morte dolorosa por sentença legal). Em outros ângulos havia dois outros compartimentos idênticos, bem menos respeitados, é certo, mas mesmo assim motivadores de terror. Um era a cátedra do professor de letras clássicas, e o outro a do professor de inglês e matemática. Espalhados pela sala, cruzando-se e entrecruzando-se, numa irregularidade sem fim, viam-se inúmeros bancos e carteiras, velhos e gastos pelo tempo, horrivelmente sobrecarregados de montes de livros, manchados de tão retalhados de iniciais, de nomes por extenso, de grotescas figuras e numerosas atividades, que haviam perdido inteiramente a forma original.

Um enorme pote de água erguia-se a uma extremidade da sala, e na outra um relógio de grandiosas dimensões.

Encerrado entre as maciças paredes daquela venerável escola, passei sem desgosto ou tédio, os anos do terceiro quinquênio de minha vida. O cérebro fecundo da infância não exige um mundo exterior de incidentes para com ele ocupar-se ou divertir-se; e a monotonia aparentemente triste de uma escola estava repleta da mais intensa exaltação, a qual minha mocidade mais madura colheu da luxúria ou minha plena maturidade do crime.

Acredito que meu primeiro desenvolvimento mental tivesse tido muito de extraordinário e mesmo muito de exagerado. Em geral, os acontecimentos da primeira infância raramente deixam uma impressão definida sobre os homens, na idade madura. Tudo são recordações apagadas e imprecisas, indistinto amontoado de fracos prazeres e de fantasmagóricos pesares. Comigo não aconteceu assim. Devo ter na infância sentido, com a energia de um homem, o que agora encontro estampado na memória em linhas tão vivas, tão profundas, tão duradouras como os exergos das medalhas cartaginesas.

Na realidade, o senso comum acredita que pouco havia para se recordar. O despertar pela manhã, as ordens à noite para dormir, o estudo e recitação das lições, os periódicos, poucos feriados e passeios, o campo de recreio com seu barulho, com seus jogos, suas intrigas, tudo isso, graças a uma fantasia mental há muito esquecida, era de molde a envolver uma imensidade de sensações, um mundo de vastos acontecimentos, um universo de emoções variadas, de excitação, o mais apaixonado e impressionante. *Oh! le bon temps, que ce siècle de fer!* (Oh! Que época boa aquela do século de ferro). Na verdade, o ardor, o entusiasmo, a imperiosidade de minha natureza depressa me deram caráter diferenciado entre meus colegas e, pouco a pouco, por gradações naturais, deram-me um ascendente sobre todos os que não eram muito mais velhos do que eu; sobre todos...com uma única exceção. Essa exceção encontrava-se na pessoa de um aluno que, embora não fosse da minha família, possuía o mesmo nome de batismo e o mesmo sobrenome que eu. Circunstância de fato, pouco digna de nota, pois, apesar de uma nobre linhagem, o meu era um desses nomes cotidianos que parecem, por direito obrigatório, ter sido, desde tempos antigos, propriedade comum da multidão. Nesta narrativa designei-me, portanto, como William Wilson, título de ficção, não muito diferente do verdadeiro.

Só que meu homônimo, de todos os que, na fraseologia da escola, constituíam "nossa turma", atreveu-se a competir comigo nos estudos, nos esportes e jogos do recreio, recusava todas as minhas afirmativas e não era submisso à minha vontade, e se intrometia nos meus ditames arbitrários em todos os casos possíveis. Se há na terra um despotismo supremo e absoluto, é o despotismo de um poderoso cérebro juvenil sobre os espíritos menos enérgicos de seus companheiros.

A rebeldia de Wilson era para mim fonte do maior embaraço. Apesar das bravatas travadas com ele em público, eu fazia questão de tratá-lo bem, mas no íntimo, sentia medo dele e não podia deixar de considerar a igualdade que ele mantinha tão facilmente comigo como uma prova de sua verdadeira superioridade, desde que me custava uma perpétua luta não ser sobrepujado. Apesar de que essa superioridade, ou igualdade, não era na verdade conhecida de ninguém, senão de mim mesmo; nossos companheiros, graças talvez a alguma cegueira inexplicável, nem mesmo pareciam suspeitar disso. Na verdade, sua competição, sua resistência e, especialmente, sua obstinada interferência em meus propósitos não se manifestava exteriormente. Ele parecia ser destituído também da ambição que excita e da apaixonada energia de espírito que me capacitava a superar. Talvez, em sua rivalidade, ele atuava somente pelo desejo estranho de contradizer-me, espantar-me, mortificar-me, embora em certas situações eu não podia deixar de observar com irritação que ele misturava a suas injúrias, seus insultos ou suas contradições, certa afetividade de maneiras muito imprópria e desagradável.

Só podia imaginar que essa singular conduta vinha de uma presunção consumada que assumia os aspectos vulgares de patrocínio e proteção. Talvez tivesse sido este o último traço do procedimento de Wilson conjugado com a nossa identidade de nome, e pelo simples acaso de termos entrado na escola no mesmo dia, que ocorreu a ideia de que éramos irmãos, entre as classes mais velhas do colégio, pois estas não indagavam usualmente, com bastante precisão dos negócios das classes inferiores.

Já disse antes, ou deveria ter dito, que Wilson não tinha parentesco com a minha família, nem no mais remoto grau. Mas, seguramente, se tivéssemos sido irmãos, deveríamos ter sido gêmeos, pois, após ter deixado a escola do Dr. Bransby, fiquei sabendo, por acaso, que o meu xará tinha nascido no dia 19 de janeiro de 1813, e isto é uma coincidência um tanto notável por ser precisamente o dia do meu próprio nascimento.

Pode parecer estranho que, apesar da ansiedade que me causavam a rivalidade de Wilson e seu intolerável espírito de contradição, não pudesse eu ser levado a odiá-lo totalmente. Tínhamos, na verdade, uma briga quase todos os dias, na qual, concedendo-me publicamente a palma da vitória, ele, de certo modo, me obrigava a sentir que não fora eu quem a merecera; mas, um senso de orgulho de minha parte e a dignidade da dele conservavam-nos sempre no que chamávamos "relações de cortesia", ao mesmo tempo que havia muitos pontos comuns em nosso caráter, agindo para despertar em mim um sentimento que talvez somente nossa posição impedisse de amadurecer em amizade. É difícil descrever meus sentimentos para com ele. Formavam uma mistura complexa e heterogênea; certa animosidade arrogante que não era ódio, alguma estima, ainda mais respeito, muito temor e um mundo de intrigante curiosidade.

Para o moralista, será necessário dizer que Wilson e eu éramos inseparáveis companheiros. Foi sem dúvida o estado anômalo das relações existentes entre nós que fez todos os meus ataques contra ele converterem-se em ironias ou mera brincadeira, ferindo, embora sob o aspecto de simples troça, em vez de uma hostilidade mais séria e preconcebida. Mas minhas tentativas nesse sentido não eram, de modo algum, uniformemente bem-sucedidas, mesmo quando meus planos eram os mais espirituosamente esboçados, pois meu xará tinha muito, no caráter, daquela austeridade calma e despretensiosa que, embora tenha a agudez de suas próprias brincadeiras, não tem ponto fraco e recusa-se absolutamente a ser zombada. Eu podia descobrir apenas um ponto vulnerável e que, consistindo em uma peculiaridade congênita, talvez enfermidade, teria sido poupada por qualquer antagonista menos incapaz de revidar do que eu: meu rival tinha uma deficiência nos órgãos faciais ou guturais que o impedia de elevar a voz em qualquer ocasião, acima de um sussurro muito baixo. Não deixei de tirar desse defeito todas as pobres vantagens que estavam em meu poder.

As represálias de Wilson eram de muitos tipos, e havia uma forma de sua malícia que me perturbava além dos limites. Como sua astúcia logo descobriu, que coisa tão insignificante me perturbava é uma questão que jamais pude resolver, mas tendo-a descoberto, ele habitualmente me aborrecia com isso. Eu sempre sentira aversão a meu sobrenome vulgar e a meu comum, senão plebeu, prenome. Tais palavras eram venenos aos meus ouvidos; e quando, no dia de minha chegada, um segundo Wilson William chegou também ao colégio, senti raiva dele por usar esse nome, e com certeza antipatizei com o nome, porque um estranho o usava, e seria causa de sua dupla repetição que estaria constantemente na minha presença e cujas atitudes, na rotina, deviam, inevitavelmente, em virtude da detestável coincidência, confundir-se com os meus.

O sentimento de vergonha assim engendrado tornava-se cada vez mais forte a cada circunstância que tendesse mostrar semelhança, moral ou física entre meu rival e eu mesmo. Não tinha então descoberto o fato notável de sermos da mesma idade, mas via que éramos da mesma altura, e percebi que éramos, particularmente semelhantes nos traços fisionômicos.

Crescia o rumor nas classes superiores de nosso possível parentesco. Nada podia perturbar-me mais seriamente, embora ocultasse tal fato, que qualquer alusão a uma similaridade de espírito, pessoa ou posição existente entre nós dois. Mas, na verdade, não tinha eu razão de acreditar que essa similaridade tivesse sido, alguma vez, assunto de comentários, ou mesmo fosse observada de algum modo pelos nossos colegas. Que ele a observasse em todas as suas faces e com tanta atenção quanto eu era coisa evidente; mas descobrir, em semelhantes circunstâncias, um campo tão frutuoso de contrariedades só pode ser atribuído, como disse antes, a sua interferência fora do comum.

Sua réplica, que era perfeita imitação de mim mesmo, consistia em palavras e gestos, e desempenhava admiravelmente seu papel. Minha roupa era coisa fácil de copiar; meu jeito de andar e maneiras foram, sem dificuldade, assimilados e, apesar de seu defeito congênito, até mesmo minha voz não lhe escapava. Naturalmente não alcançava ele meus tons mais elevados, mas o timbre era idêntico e seu sussurro característico tornou-se o verdadeiro eco do meu.

Não me atreverei agora a descrever até que ponto esse estranhíssimo retrato, pois não podia chamar de caricatura, me envergonhava. Eu tinha apenas um consolo no fato de ser a imitação, ao que parecia, notada somente por mim e ter eu de suportar tão só o conhecimento e os sorrisos estranhamente sarcásticos de meu próprio xará. Satisfeito por ter produzido no meu íntimo o efeito desejado, ele parecia rir secretamente e mostrava-se singularmente desdenhoso dos aplausos públicos, que o êxito de seus esforços pudesse ter tão facilmente conquistado.

Que a escola não percebesse seu desígnio nem notasse seu sarcasmo foi, durante ansiosos meses, um enigma que eu não podia resolver. Talvez a gradação de sua cópia não o tornasse prontamente perceptível, ou mais provavelmente, devia eu minha segurança ao ar dominador do imitador que, desdenhando a letra, coisa que os espíritos estúpidos logo percebem em uma pintura, dava apenas o espírito completo de seu original para minha meditação individual, e pesar meu. Já falei, mais de uma vez, do desagradável ar de proteção que ele assumia para comigo e de sua frequente intromissão na minha vontade. Essa interferência tomava, muitas vezes, o caráter desagradável de um conselho não abertamente dado, porém sugerido ou insinuado. Recebia seus conselhos com uma repugnância que ganhava forças à medida que eu ganhava idade. Entretanto, naquela época distante, quero reconhecer que não me recordo de um só caso em que as sugestões de meu rival tivessem influenciado naqueles erros ou loucuras tão comuns na sua idade, ainda carente de maturidade e de experiência; seu senso moral, pelo menos, se não seu talento geral e critério mundano era bem mais agudo do que o meu, e eu poderia ter sido um homem melhor e, portanto, mais feliz, se não tivesse rejeitado os conselhos inclusos naqueles significativos sussurros que só me inspiravam, então, ódio cordial e desprezo amargo.

Sendo assim, me tornei rebelde ao extremo à sua desagradável vigilância e cada dia mais e mais abertamente detestei o que considerava sua insuportável arrogância. Já disse que, nos primeiros anos de nossas relações, como colegas, meus sentimentos com referência a ele poderiam ter-se amadurecido facilmente em amizade; mas, nos últimos meses de minha estada no colégio, embora seus modos habituais de intromissão tivessem diminuído, meus sentimentos, em proporção quase semelhante, começaram a expressar ódio. Certa ocasião ele percebeu, e depois disso evitou-me ou fingiu evitar-me.

Foi mais ou menos na mesma ocasião que, em um violento conflito com ele, em que se descuidou mais do que de costume e agiu com uma franqueza de maneira bem estranha à sua índole, descobri, ou imaginei ter descoberto, em sua pronúncia, na sua atitude, no seu aspecto geral algo que a princípio me chocou e depois me interessou profundamente, por me relembrar sombrias visões de minha primeira infância; um turbilhão confuso e estranho de recordações de um tempo em que a própria memória ainda não nascera. Não consigo descrever melhor a sensação que então me oprimiu do que dizendo que, com dificuldade, me era possível afastar a crença de haver conhecido aquele ser diante de mim em alguma época muito distante, em algum ponto do passado, ainda que infinitamente remoto. A ilusão, porém, desapareceu rapidamente como chegara; e a menciono tão só para assinalar o dia da última conversa que ali mantive com meu singular homônimo.

A enorme e velha casa, com suas incontáveis subdivisões, tinha vários e amplos aposentos que se comunicavam uns com os outros e onde dormia o maior número dos estudantes. Havia, também muitos recantos ou recessos, as pequenas sobras da estrutura; e deles a habilidade econômica do Dr. Bransby havia feito também dormitórios. Como não passavam de simples gabinetes, apenas eram capazes de acomodar uma só pessoa. Um desses pequenos apartamentos era ocupado por Wilson.

Uma noite, depois do encerramento de meu quinto ano na escola e imediatamente após o conflito acima mencionado, verificando que todos estavam dormindo, levantei-me da cama e, de lâmpada na mão, caminhei através de uma imensidade de estreitos corredores do meu quarto para o de meu rival. Longamente planejara uma dessas peças de mau gosto, à custa dele, em que até então eu tão constantemente falhara. Era minha intenção colocar o plano em prática e resolvi fazê-lo sentir toda a malícia de que eu estava incutido. Entrei silenciosamente no seu pequeno quarto, deixando a lâmpada do lado de fora, dei um passo e ouvi o som de sua respiração tranquila. Certo de que ele estava dormindo, voltei, apanhei a lâmpada e com ela me aproximei da cama. As cortinas estavam fechadas. Prosseguindo em meu plano, abri as cortinas devagar e essas caíram sobre o adormecido, em cheio, os raios brilhantes de luz, ao mesmo tempo que meus olhos sobre seu corpo.

Olhei, e um calafrio, uma sensação congelante no mesmo momento me atravessou o corpo. Meu peito ofegou, meus joelhos tremeram todo o meu espírito se tornou presa de um horror intolerável. Arquejando, baixei a lâmpada até quase encostá-la no seu rosto. Eram aquelas... aquelas as feições de William Wilson? Vi de fato, que eram as dele, mas tremi como em um acesso de febre imaginando que não eram.

Que havia em torno delas para me perturbarem desse modo? Contemplei, enquanto minha mente girava com um turbilhão de pensamentos incoerentes. Não era assim que ele aparecia, certamente não era assim, na vivacidade de suas horas despertas. O mesmo nome! Os mesmos traços pessoais, o mesmo dia de chegada ao colégio! E, depois, sua obstinada e incompreensível imitação de meu andar, de minha voz, de meus costumes, de meus gestos! Estaria dentro dos limites da possibilidade humana que o que eu então via fosse, simplesmente, o resultado da prática habitual dessa imitação sarcástica? Apavorado com um tremor crescente, apaguei a lâmpada, saí silenciosamente do quarto e abandonei imediatamente os salões daquele velho colégio para neles nunca mais voltar a entrar.

Depois de alguns meses, passados em minha casa em mera ociosidade, fui para a escola Eton. Esse curto intervalo fora suficiente para enfraquecer a recordação dos acontecimentos no colégio do Dr. Bransby, ou pelo menos para efetuar uma radical transformação na natureza dos sentimentos com que eu os relembrava. A verdade, a tragédia, do drama não existia mais. Eu achava, agora, motivos para duvidar do testemunho de meus sentidos; e muitas vezes recordei o assunto, apenas admirando a extensão da credulidade humana e atribuindo para a viva força da imaginação que eu possuía por herança. Nem era essa espécie de ceticismo capaz de ser diminuído pela natureza da vida que eu levava em Eton. O redemoinho da loucura impensada em que ali tão imediata e irrefletidamente mergulhei varreu tudo, exceto a espuma de minhas horas passadas, e abismou imediatamente todas as impressões sólidas e sérias, só deixando na memória as frivolidades de uma existência anterior.

Não desejo traçar o curso de meu miserável desregramento ali, um desregramento que desafiava as leis, ao mesmo tempo que iludia a vigilância da escola. Três anos de loucura, sem proveito, apenas me deram os hábitos profundos do vício e um acréscimo, em grau algo anormal, à minha estatura física. Foi quando, depois de uma semana de animalesca dissipação, convidei alguns dos mais libertinos estudantes para uma bebedeira secreta em meu quarto. Encontramo-nos a horas tardias da noite, pois nossas orgias deviam prolongar-se até a manhã. O vinho corria à vontade, e não haviam sido esquecidas outras e talvez mais perigosas seduções; assim, a aurora já aparecera fracamente no oriente quando nossa delirante extravagância estava no auge.

Loucamente agitado pelo jogo e pela bebida, eu estava insistindo em um brinde de profanação mais do que ordinária, quando minha atenção foi subitamente desviada pelo abrir-se da porta do aposento, parcial, embora violentamente, e pela voz apressada de um criado lá fora. Disse ele que alguém, aparentemente com pressa, queria falar comigo no vestíbulo.

Sob a selvagem excitação do vinho, a inesperada interrupção mais me deleitou do que surpreendeu. Corri imediatamente até o vestíbulo do prédio.

Nessa sala pequena e baixa não havia uma lâmpada, e nenhuma luz ali penetrava, a não ser a luz fraca do alvorecer que entrava por uma janela semicircular. Ao transpor os batentes distingui o vulto de um jovem mais ou menos de minha própria altura, vestido com um quimono matinal de casimira branca, cortado à moda nova do mesmo que eu trajava no momento. Não pude distinguir as feições de seu rosto. Depois que entrei, ele precipitou-se para mim, e agarrando-me o braço, com um gesto impaciente, sussurrou ao meu ouvido as palavras: "William Wilson!"

Em um segundo minha embriaguez se desvaneceu. Havia algo no modo do desconhecido e no gesto trêmulo de seu dedo levantado quando ele o pôs entre meus olhos e a luz que me encheu de espanto; não foi, porém, isso o que me comoveu, tão violentamente. Foi a concentração de solene advertência na pronúncia singular e baixa; e, acima de tudo, foram o caráter, o tom, a chave daquelas poucas palavras, simples e familiares, embora sussurradas, que vieram com inúmeras recordações do passado e me agitaram a alma como o choque de uma bateria elétrica. Logo que pude recuperar os meus sentidos, ele já havia partido.

Embora esse acontecimento não deixasse de ter um vivo efeito sobre minha imaginação confusa, foi ele, contudo, tão fugaz quanto vivo. Durante algumas semanas, eu me entreguei a extenuadas pesquisas, ou me envolvi numa nuvem de mórbidas investigações. Não pretendi disfarçar, em minha percepção, a identidade do singular indivíduo que tão perseverantemente interferia em meus assuntos e me perseguia com seus conselhos insinuados.

Mas quem era esse Wilson? E de onde vinha ele? E quais eram suas intenções? Não pude obter resposta a qualquer dessas questões, verificando simplesmente, em relação a ele, que um súbito acidente em sua família provocara sua saída do colégio do Bransby na tarde do dia em que eu fugira de lá. Mas em breve deixei de pensar sobre o caso, estando com a atenção completamente absorvida com a ida para Oxford.

Ali logo cheguei, pois meus pais me forneciam uma fabulosa pensão anual que me permitia a entregar-me ao luxo já tão caro a meu coração — rivalizando, em profusão de despesas, com os mais elevados herdeiros dos mais ricos condados da Grã-Bretanha. Deslumbrado ao vício por tais recursos, meu temperamento irrompeu com redobrado ardor e espezinhei mesmo as comuns restrições da decência na louca paixão de minhas orgias, seria absurdo narrar em pormenores as minhas extravagâncias. Bastará dizer que, em dissipações, ultrapassei Herodes e que, dando nome a um turbilhão de novas loucuras, acrescentei um apêndice nada curto ao longo catálogo dos vícios então habituais na mais dissoluta universidade da Europa.

É difícil de acreditar que eu tivesse, mesmo ali, caído tão completamente da posição de nobreza a ponto de procurar conhecer as artes mais vis dos jogadores profissionais, tornando-me adepto dessa desprezível ciência, a ponto de praticá-la frequentemente como um meio de aumentar minha já enorme renda à custa de meus colegas fracos de espírito. Aconteceu, infelizmente. E a própria enormidade desse atentado contra todos os sentimentos viris e corretos evidenciava, fora de dúvida, a principal, senão a única, razão de ser ele cometido. Quem, na verdade, entre meus mais pervertidos companheiros, não teria antes duvidado do mais claro testemunho de seus sentidos de preferência a ter suspeitado de que agisse assim o alegre, o franco, o generoso William Wilson, o mais nobre e liberal dos camaradas de Oxford, aquele cujas loucuras eram apenas as loucuras da imaginação jovem e desenfreada, cujos erros eram apenas caprichos inimitáveis e cujos vícios eram apenas uma extravagância descuidada e magnífica?

Fazia dois anos que eu me comportava assim, com amplo sucesso, quando chegou à universidade um jovem, *parvenu* da nobreza, Glendenning, rico, dizia-se, como Herodes Ático, e de riqueza adquirida com igual facilidade. Logo verifiquei que era de intelecto fraco, e o escolhi como um digno objeto para a minha astúcia.

Frequentemente levei-o a jogar e ele ganhou somas consideráveis para de modo eficiente prendê-lo em minha teia. Afinal estando maduros meus planos, encontrei-o, com a plena intenção de que esse encontro seria final e decisivo, no aposento do Sr. Preston, amigo nosso, mas que para fazer justiça, não tinha sequer a mais remota suspeita de minha intenção. Para dar ao caso maior repercussão, consegui reunir um grupo de oito ou dez e tive muito cuidado em que o aparecimento de cartas de baralho fosse acidental, originando-se da proposta de minha própria vítima em vista. Para ser breve sobre tão vil assunto, nenhuma das baixas espertezas, tão habituais em ocasiões similares, foi omitida, e é mesmo motivo de admiração haver tantas pessoas ainda tão tolas para cair como suas vítimas. Prolongamos a vigília pela noite adentro, e afinal efetivei a manobra de deixar Glendenning como meu único antagonista.

O jogo era o meu favorito, o *écarté*. Os restantes do grupo, interessados em nossas apostas, abandonaram suas próprias cartas e ficaram em volta, como espectadores. O *parvenu*, que fora induzido, por meus artifícios, no primeiro período da noite, a beber muito, agora baralhava, cortava ou jogava com nervosismo. Sua embriaguez, pensava eu, podia parcialmente, mas não inteiramente, servir de explicação. Em um período muito curto ele se tornara meu devedor, e então, tendo tomado um trago de vinho do Porto, fez precisamente o que eu estivera friamente prevendo: propôs dobrar a nossa já extravagante aposta. Com bem fingida mostra de relutância e não sem que minhas repetidas recusas o levassem a amargar palavras, que deram um tom de desafio a meu consentimento, aceitei, afinal. O resultado apenas demonstrou quanto a presa estava em minha teia; em menos de uma hora ele quadruplicara sua dívida.

Desde algum tempo seu rosto perdera a tintura rubra que lhe dava o vinho; agora, porém, para meu espanto, percebi que ele se tornava de um palor verdadeiramente horrível. Para meu espanto, Glendenning fora apresentado, em meus intensos inquéritos, como imensamente rico, e as quantias que ele até então perdera, embora em si mesmas altas, não podiam, supunha eu, aborrecê-lo muito seriamente e muito menos afligi-lo tão violentamente. A ideia de que ele estava perturbado pelo vinho que acabara de tomar foi a que mais prontamente me apresentou; e, mais para defender meu próprio caráter aos olhos de meus companheiros do que por qualquer motivo menos interesseiro, eu estava prestes a insistir para encerrarmos o jogo, quando certas expressões saídas dentre o grupo junto de mim e uma exclamação demonstrativa de extremo desespero da parte de Glendenning fizeram-me compreender que eu causara sua ruína total sob circunstâncias que, tornando-o um motivo de piedade para todos, deveriam tê-lo protegido dos malefícios mesmo de um demônio.

Qual deveria ter sido minha conduta é difícil dizer. A lastimável situação de minha vítima atirara sobre tudo um ar de embaraçosa tristeza. Durante alguns momentos, foi mantido um profundo silêncio, durante o qual eu não podia deixar de sentir minhas faces formigarem sob os numerosos olhares de desprezo ou reprovação que me lançavam os menos frios do grupo. Confessarei mesmo que um intolerável peso de angústia foi retirado por breves instantes de meu peito pela súbita e extraordinária interrupção que se seguiu. Os pesados e largos batentes da porta do aposento escancararam-se, de uma só vez, violentamente que se apagaram, como por mágica, todas as velas da sala. Ao apagarem as luzes, pudemos perceber que um estranho havia entrado, mais ou menos de minha altura e envolto numa capa. A escuridão, porém, não era total, e podíamos apenas sentir que ele estava entre nós. Antes que qualquer de nós pudesse refazer-se do susto, ouvimos a voz do intruso:

— Cavalheiros — disse ele, num sussurro baixo, distinto e inesquecível, que me fez estremecer até a medula dos ossos —, cavalheiros, peço desculpas pelo meu modo de proceder, estou cumprindo um dever. Vocês não estão informados do verdadeiro caráter da pessoa que esta noite ganhou no *écarté* uma soma enorme de Lorde Glendenning. Vou propor a vocês um plano decisivo para essa informação, verdadeiramente necessária. Tenha a bondade de examinar, à vontade, o forro do punho de sua manga esquerda e os vários pacotinhos que podem ser encontrados nos bolsos um tanto vastos de seu roupão bordado.

Enquanto ele falava, tão profundo era o silêncio que se poderia ouvir um alfinete cair no chão. Ao terminar, partiu sem demora e tão violentamente como havia entrado. Poderei descrever as minhas sensações? Devo dizer que senti todos os horrores possíveis?

Eu tinha pouco tempo para refletir. Muitas mãos me agarraram brutalmente, no mesmo instante, e reacenderam-se logo em seguida as luzes. Seguiu-se uma busca. No forro de minha manga foram encontradas todas as figuras essenciais do *écarté* e, nos bolsos de meu roupão, certo número de baralhos exatamente iguais aos que utilizávamos em nossas reuniões, com a única exceção de que os meus eram da espécie chamada, tecnicamente, *arredondées*, sendo as cartas de figuras levemente convexas nas pontas e as cartas comuns levemente convexas nos lados. Com esta disposição, o ingênuo que corta ao comprido do baralho invariavelmente é levado a cortar dando figura a seu parceiro, ao passo que o jogador profissional, cortando na largura, com toda a certeza nada cortará para sua vítima que possa servir de vantagem no desenrolar do jogo. Uma explosão de indignação teria perturbado menos do que o silêncio de desprezo ou a calma sarcástica com que a descoberta foi recebida.

— Sr. Wilson — disse o dono da casa, abaixando-se para apanhar uma capa luxuosa de peles raras —, Sr. Wilson, isto lhe pertence. O tempo estava frio e, ao deixar meu próprio quarto, colocara uma capa sobre meu roupão, desfazendo-me dela ao chegar ao teatro do jogo. Presumo que seja desnecessário, e olhou as dobras da capa com um sorriso ácido, procurar aqui qualquer outra prova. O senhor reconhecerá a necessidade, assim espero, de abandonar Oxford, e, de qualquer modo, de abandonar minha casa.

Completamente humilhado, como então estava, é provável que eu pudesse ter me vingado daquela mortificante linguagem com violência pessoal, não tivesse sido toda a minha atenção no momento detida por um fato impressionante. A capa que eu tinha usado era de uma qualidade rara de pele, tão rara e tão extravagantemente custosa que não me aventurarei a dizer. Seu corte, também, era de minha própria e fantástica invenção, pois eu era, em questões dessa frívola natureza, exigente até o grau mais absurdo. Quando, portanto, o Sr. Preston entregou-me aquilo que apanhara do chão, perto dos batentes da porta do aposento, foi com um espanto quase aterrorizante que percebi minha própria capa pendente já de meu braço, onde sem dúvida a tinha colocado inadvertidamente, e da qual a outra que me apresentavam era apenas a exata reprodução, em todos e até mesmo nos mínimos particulares possíveis. O singular indivíduo que tão desastrosamente me havia comprometido estivera envolvido, lembrava-me, em uma capa, e nenhuma fora usada, absolutamente, por qualquer dos membros de nosso grupo, com exceção de mim mesmo. Conservando alguma presença de espírito, tomei a capa que me foi oferecida por Preston, coloquei-a, sem que o percebessem, por cima de minha própria capa, deixei o aposento e, na manhã seguinte, antes mesmo de raiar do dia, iniciei precipitada viagem de Oxford para o continente, num estado de perfeita angústia, de terror e de vergonha.

Fugi em vão. Minha má sorte me acompanhou, como se em triunfo, e mostrou realmente que a ação de seu misterioso domínio tinha começado. Mal tinha eu posto o pé em Paris, já tinha prova evidente do detestável interesse tomado por aquele Wilson a meu respeito.

Anos passavam sem que eu experimentasse alívio algum. Em Roma, com que inoportuna embora espectral solicitude se intrometeu ele entre mim e minha ambição!

Em Viena, também em Berlim... e em Moscou! Onde, na verdade, não tinha eu um motivo de amaldiçoá-lo, do fundo do coração? Da sua impenetrável tirania eu fugia, tomado de pânico, como de uma peste; e até aos confins da terra fugi em vão.

E sempre, em secreta comunhão com meu próprio espírito, perguntava eu: "Quem é ele? De onde vem? E quais são seus objetivos?" Mas nenhuma resposta encontrava. E então eu pesquisava, as formas, os métodos, e os traços principais de sua constante vigilância. Mas mesmo aí havia muito pouco sobre que basear uma conjectura. Era visível, que em nenhuma das inúmeras vezes em que tivera recentemente de cruzar meu caminho o fizera sem ser para frustrar aqueles planos ou perturbar ações que, se plenamente realizadas, teriam resultado em algo mal. Pobre justificativa esta, na verdade, para uma autoridade tão imperiosamente confiscada! Pobre indenização para os direitos naturais de livre arbítrio, tão pertinaz e tão abusadamente negados!

Notei que meu carrasco, durante muito tempo, enquanto com inacreditável habilidade mantinha seu capricho de uma identidade de traje comigo, tinha-se arranjado de tal maneira, em todas as ocasiões em que interferira com a minha vontade, que eu não vira, em momento algum, as feições de seu rosto. Fosse Wilson quem fosse, isto, pelo menos, era apenas o cúmulo da loucura. Podia ele, por um instante, ter suposto que no meu admoestador de Eton, no destruidor de minha honra em Oxford, naquele que frustrou minha ambição em Roma, minha vingança em Paris, meu apaixonado amor em Nápoles, ou aquilo que ele falsamente denominou de minha avareza no Egito, que naquele meu inimigo e diabólico gênio eu deixaria de reconhecer o William Wilson da época de colégio, o homônimo, o companheiro, o rival, o detestado e temido rival do colégio do Dr. Bransby?

Impossível! Vou descrever a culminante cena do drama. Até então eu sucumbira passivamente àquele imperioso domínio. O sentimento de temor com que frequentemente encarava o caráter elevado, a sabedoria, a aparente onipresença e onipotência de Wilson, acrescentado mesmo a uma sensação de terror que certos outros traços de seu temperamento e de sua insolência me inspiravam, tinham conseguido, até então, imprimir em mim uma ideia de minha fraqueza e desamparo e sugerir uma submissão implícita, embora relutante, à sua vontade arbitrária. Mas, nos últimos dias, entregara-me inteiramente ao vinho; e sua inevitável influência sobre meu temperamento hereditário tornou-me cada vez mais insubmisso ao controle. Comecei a murmurar, a hesitar, a resistir. E seria apenas a imaginação que me induzia a acreditar que, com o aumento de minha própria firmeza, a do meu carrasco sofria uma diminuição proporcional? Comecei então a sentir o alento de uma esperança e por fim nutri em uma resolução desesperada de que não me submeteria por mais tempo à escravidão. Foi em Roma, durante o carnaval de 18... eu estava em um baile de máscaras, no palácio do napolitano Duque Di Broglio. Eu me entregara, mais livremente do que de costume, aos excessos do vinho, e agora a sufocante atmosfera das salas lotadas de gente irritava-me insuportavelmente. A dificuldade, também, em abrir caminho através dos grupos contribuía para exasperar-me o gênio, pois eu estava procurando a jovem, a alegre, a bela mulher do velho e caduco Di Broglio. Com uma confiança inescrupulosa, ela havia me revelado o segredo da fantasia com que estaria trajada, e agora, tendo-a vislumbrado, apressava-me em abrir caminho até ela. Neste momento senti uma mão pousar levemente sobre meu ombro e ouvi aquele inesquecível sussurro.

Num lampejo de cólera, voltei-me imediatamente para aquele que me interrompera e agarrei-o pelo pescoço. Trajava ele, como eu havia esperado, uma roupa inteiramente igual à minha. Vestia uma capa espanhola de veludo azul, apertada em torno da cintura por um cinturão escarlate, que sustentava um florete. Uma máscara de seda preta encobria-lhe inteiramente o rosto. Canalha! — disse eu numa voz rouca de raiva, ao passo que cada sílaba que eu pronunciava parecia alimentar cada vez mais a minha fúria. — Canalha! Impostor! Maldito vilão! Não mais, não mais você me perseguirá! Siga-me, ou eu o atravessarei aqui mesmo, com este florete!

E rompi caminho para fora da sala de baile, até uma pequena antecâmara ao lado, arrastando-o comigo. Depois de entrar, atirei-o furiosamente para longe. Ele bateu de encontro à parede, enquanto eu fechava a porta e lhe ordenava que puxasse a arma.

Ele hesitou, mas apenas um instante; depois, com leve suspiro, puxou-a em silêncio e pôs-se em guarda.

A luta foi breve. Eu estava alucinado, e na excitação selvagem sentia no meu braço a energia e a potência de uma multidão. Em poucos segundos obriguei-o, só pela força, a encostar-se na parede e assim, enfiei minha espada, com bruta ferocidade e repetidamente no seu peito.

Naquele instante, alguém tentou abrir a porta. Apressei-me em evitar uma intromissão e, voltei imediatamente para meu antagonista moribundo.

Mas que língua humana pode adequadamente retratar aquele horror, que de mim se apossou diante do espetáculo que então se apresentou à minha vista? Curto instante em que desviei meus olhos, tinha sido suficiente para produzir, ao que parecia, uma mudança positiva na disposição, na parte mais alta ou mais distante do quarto. Um grande espelho, assim a princípio me pareceu na confusão mental em que eu estava, erguia-se agora ali, onde nada fora visto antes, e como eu caminhasse para ele, no auge do terror, minha própria imagem, mas com as feições cadavéricas e manchadas de sangue, vinha ao meu encontro, com um andar fraco e cambaleante.

Era meu adversário, era Wilson que então se erguia diante de mim, nos estertores de sua agonia. Sua máscara e sua capa jaziam ali no chão. Nem um fio em todo o seu vestuário, nem uma linha em todas as acentuadas e singulares feições de seu rosto que não fossem mesmo na mais absoluta identidade, os meus próprios!

Era Wilson, mas ele falava, não mais num sussurro, e eu podia imaginar que era eu próprio quem estava falando, enquanto ele dizia:

Você venceu e eu me rendo. Contudo, de agora em diante, você também está morto... morto para o Mundo, para o Céu e para a Esperança! Em mim você vivia... e, na minha morte, vê por esta imagem, que é a sua própria imagem, então assassinou a você mesmo!

HARRY CLARKE

O SISTEMA DO DOUTOR BREU E DO PROFESSOR PENA

The System of Doctor Tarr and Professor Fether, 1845

Durante o outono de 18... fazendo um tour por Provence, no Sul da França, meu trajeto levou-me a algumas milhas para Maison de Santé, um manicômio sobre o qual ouvira falar em Paris, da parte de alguns médicos, amigos meus. Como nunca havia visitado um lugar deste tipo, achei a oportunidade interessante; e assim propus ao meu companheiro de viagem, cavalheiro com quem travara relações havia poucos dias, que fizéssemos um pequeno desvio do caminho, de cerca de uma hora ou mais, a fim de conhecer aquele estabelecimento. Ideia que ele rejeitou, dizendo primeiro que tinha muita pressa e, em segundo lugar, que sentia um verdadeiro horror na presença de um lunático. Ele quase me implorou, no entanto, para que eu não sacrificasse a minha curiosidade por causa dele, acrescentando que iria seguir caminho, cavalgando devagar, de maneira que eu pudesse alcançá-lo no mesmo dia ou, quando muito, no dia seguinte. Mas, ao nos despedirmos, lembrei-me da dificuldade que eu poderia ter no acesso ao estabelecimento e comentei com ele a esse respeito. Ele me respondeu que, de fato, se eu não conhecia pessoalmente o Sr. Maillard, o diretor, nem levava comigo carta de apresentação, poderia ter dificuldades de entrar lá, porque os regulamentos dos manicômios particulares eram muito mais severos do que dos hospícios públicos. Mas como ele conhecia um pouco o Sr. Maillard, resolveu me acompanhar até a porta e me apresentar a ele, embora seus sentimentos em relação à loucura não lhe permitissem entrar no local. Agradeci e, saindo da estrada principal, entramos por um atalho que, em cerca de meia hora, nos levou para dentro de uma floresta espessa aos pés de uma montanha. E através daquela mata densa e sombria andamos cerca de duas milhas até avistarmos a Maison de Santé. Era um castelo extraordinário e decadente e, a se julgar pela deterioração externa, devia ser inóspito. O seu aspecto me inspirou tal sentimento de pavor que estive a ponto de não seguir em frente e retornar. Mas envergonhei-me da minha própria fraqueza e segui em frente.

Ao entrarmos no portal, notei que estava entreaberto e um rosto nos olhava. No instante seguinte, o homem se aproximou, saudou meu companheiro pelo nome, apertou-lhe a mão cordialmente e convidou-o a descer do cavalo. Era o próprio Sr. Maillard, um verdadeiro cavalheiro de outros tempos: boa presença, de aspecto nobre, maneiras educadas e um ar de seriedade, dignidade e autoridade que cativava simpatia e impunha respeito.

Meu amigo então apresentou-me; e depois de mencionar a minha vontade de visitar seu estabelecimento, e de o Sr. Maillard prometer atendê-la com a maior dedicação possível, despediu-se de nós. Nunca mais tornei a vê-lo.

O diretor me conduziu a uma pequena sala elegantemente mobiliada, onde se viam, entre outros indícios de um gosto refinado, grande quantidade de livros, desenhos, flores e instrumentos musicais. Um bom fogo ardia na lareira. Uma moça bela, vestida de preto e sentada ao piano, cantava uma ária de Bellini.

Levantou-se quando entramos e veio me receber com muita cortesia. A voz era baixa. Percebi traços de tristeza e melancolia e a sua palidez excessiva não lhe diminuía o encanto. Parecia estar sob um luto profundo, e despertou no meu coração um sentimento misto de respeito, interesse e admiração.

Eu ouvira dizer em Paris que o estabelecimento do Sr. Maillard obedecia a um preceito conhecido vulgarmente como "sistema tranquilizador", isto é, evitava-se o sistema de castigos, a reclusão era pouco empregada e os doentes, vigiados secretamente, ficavam livres, podendo até mesmo, a maior parte deles, circular por todo o prédio e pelo jardim, como se fossem pessoas de pleno juízo.

Lembrando-me desses detalhes, cuidei das minhas palavras na presença da moça de luto, porque nada me garantia que ela tivesse o juízo perfeito. Pelo contrário, havia nos seus olhos certo brilho de inquietação que me induzia a acreditar que ela era uma paciente. Limitei as minhas observações a assuntos gerais ou àqueles que julguei incapazes de desagradar ou de excitar mesmo uma lunática. A moça respondeu a tudo o que eu perguntei de um modo inteiramente sensato; e as suas observações tinham o mesmo critério de raciocínio; mas eu aprendi após um longo estudo sobre a metafísica a desconfiar de semelhantes evidências de saúde mental, e continuei a usar a prudência durante toda nossa conversa.

Nesse momento um criado muito elegante, de libré, trouxe uma bandeja cheia de frutas, vinhos e refrescos, dos quais me servi com prazer; a moça logo se despediu. Assim que ela se retirou, dirigi ao Sr. Maillard um olhar de interrogação.

— Não, disse ele. Ah, não! Ela é da minha família... minha sobrinha, tem a saúde perfeita.

— Ah, meu senhor, peço-lhe perdão pela minha desconfiança. A excelente orientação desse estabelecimento é muito conhecida em Paris; assim, imaginei que não seria impossível... O senhor compreende, não é mesmo?

— Não falemos mais nisso; sou eu que tenho de lhe agradecer a louvável prudência com que se portou, coisa rara em jovens. E mais de uma vez tivemos de lamentar alguns acidentes bem desagradáveis, causados pela imprudência dos visitantes. Na época em que ainda aplicávamos meu primeiro sistema, e quando os doentes tinham o privilégio de andar por toda parte, à vontade, acontecia algumas vezes de caírem em crises, devido à imprudência de alguns visitantes. Foi por isso que acabei adotando um sistema mais rigoroso de exclusão, somente as pessoas que sabemos discretas são admitidas a nos visitarem.

— Como assim, na época do seu primeiro sistema? — perguntei, repetindo as palavras do próprio Maillard. — Então o tal "sistema tranquilizador" de que tanto me falaram já não é mais aplicado na sua casa?

— Não, senhor — replicou ele.

— Há algumas semanas decidimos abandoná-lo para sempre.

— Verdade?

— O "sistema tranquilizador" era um perigo constante, e as suas vantagens não eram tantas quanto pareciam. Não pode haver uma experiência mais honesta do que a que se fez nesta casa, onde se praticou tudo o que a humanidade pode racionalmente sugerir. Lamento que não nos tenha visitado antes, para poder conhecer pessoalmente. Mas conhece todos os tratamentos do "sistema tranquilizador", não é mesmo?

— O pouco que sei foi simplesmente por ouvir dizer.

— Vou contar em poucas palavras como era o sistema. A base principal era não contrariar o doente. Não contradizíamos nenhuma fantasia que entrasse na mente do paciente. Ao contrário, não só éramos indulgentes a esse respeito como os encorajávamos; e muitas de nossas curas permanentes foram efetivas. Não existe argumento que toque mais a frágil razão dos alienistas do que *o reductio ad absurdum* (redução ao absurdo). Tivemos alguns homens, por exemplo, que fantasiavam serem galinhas. A cura consistia em insistir nisso como se um fato fosse real, em acusar o doente de estupidez no que ele não reconhecia suficientemente no seu caso como fato real e daí recusar-lhe qualquer dieta semanal que não constasse da dieta das galinhas. Nesses casos, um pouco de milho podia operar milagres.

— Mas o sistema constituía apenas na aquiescência à loucura?

— Não. Tínhamos também bastante fé em certos divertimentos simples, como música, dança, ginástica, jogos, alguns livros, e assim por diante. Cuidávamos de tratar cada indivíduo como se tivesse uma doença física qualquer; e nunca usávamos a palavra "lunático" ou "louco". Um ponto importante era incumbir cada paciente de vigiar todos os demais; depositar confiança na inteligência ou na discrição de um louco e conquistá-lo por inteiro. Isso nos trazia ainda a vantagem de dispensarmos uma categoria muito dispendiosa, que é a categoria dos guardas.

— E não havia nenhum tipo de punição?

— Não.

— E nunca confinavam nenhum paciente?

— Raramente. Quando a doença de alguém se transformava em crise, virando um acesso de fúria, nós o levávamos para uma cela particular, já que a sua desordem mental poderia contaminar os outros doentes, e lá o mantínhamos até que pudesse voltar ao convívio. No caso dos maníacos raivosos, nada tínhamos a fazer. Frequentemente eram encaminhados para os hospícios públicos.

— E agora o senhor reverteu toda esta situação — e acha que para melhor?

— Com certeza. Meu sistema tinha suas desvantagens, e mesmo seus perigos. Felizmente, agora ele foi extinto em todas as Maisons de Santé da França.

— Estou bastante surpreso — disse eu —, pois eu tinha a impressão de que nenhum outro sistema de tratamento para loucura como este existia no resto do país.

— Você ainda é jovem, meu amigo — respondeu o diretor —, mas vai chegar o tempo em que poderá julgar por você mesmo o que acontece no mundo, sem confiar nos outros. Não acredite em nada do que você escutar e só na metade daquilo que você estiver vendo. Sobre nossa Maison de Santé, parece que algum mal-informado andou fazendo sua cabeça. Depois que você se recuperar do cansaço da viagem, terei o maior prazer em mostrar-lhe a nossa casa e de introduzi-lo a um sistema que, na minha opinião, e na de todos aqueles que testemunharam sua funcionalidade, é efetivamente o melhor de todos.

— Um sistema inventado pelo senhor?

— Sou obrigado a reconhecer que sim, pelo menos em grande parte.

Conversei com o Dr. Maillard por uma ou duas horas, enquanto ele me mostrava os jardins e a conservação do lugar.

— Não posso deixá-lo ver meus pacientes por enquanto — disse ele.

— Para uma mente sensível sempre existe algum tipo de choque neste tipo de exibição; e não pretendo privá-lo de seu apetite. Gostaria que jantasse comigo. Posso oferecer-lhe uma vitela à *la Sainte-Menechould*, couve-flor à *la sauce velouté*, com um bom copo de *Clos* de *Vougeôt*. Depois disso seus nervos estarão mais fortalecidos.

Às seis, o jantar foi anunciado; e Dr. Maillard me conduziu a uma vasta sala de jantar, com uma enorme comitiva, cerca de trinta pessoas. Pareciam finos e educados, embora mostrassem roupas requintadas, impróprias para a ocasião. Pelo menos dois terços dos convidados eram de senhoras, algumas vestidas de uma maneira muito diferente da que o parisiense está habituado a considerar de bom gosto. Muitas delas, que não tinham menos de setenta anos, estavam usando roupas decotadas e de mangas curtas, com uma profusão extraordinária de joias. Observei que poucas daquelas roupas eram bem-feitas e que a maior parte delas não combinavam com as pessoas que as vestiam. Logo percebi o interesse da moça que o Sr. Maillard me apresentara na sala: e admirei-me de vê-la usando um enorme vestido de anquinhas, sapatos de saltos altos e uma touca velha de rendas de Bruxelas, tão grande para ela que dava à sua fisionomia uma aparência ridícula de pequenez.

O vestido de luto, com o qual eu a vira antes, lhe caía bem melhor. Havia, em suma, no toalete daquelas senhoras todas, um ar de esquisitice que me remeteu à minha ideia original do "sistema tranquilizador", a qual o Sr. Maillard tentava me fazer ver, pouco antes do jantar, que não era como eu pensava ser, e me vi jantando justamente com aqueles lunáticos todos; mas me lembrei que em Paris me informaram de que os sulistas da Provence eram particularmente excêntricos, com vastas noções antiquadas de tudo; e então, ao conversar com vários dos convidados, minhas apreensões foram-se desaparecendo por completo.

A própria sala de jantar, confortável e imensa, não tinha elegância alguma. O chão não tinha tapete, é verdade que, na França, muitos dispensam os tapetes. As janelas não tinham cortinas; as portas, quando fechadas, eram trançadas com barras de ferro, na diagonal, como se usa nas lojas. Observei que aquela dependência formava uma das alas do castelo, e assim as janelas ocupavam três dos lados do paralelogramo, situando-se a porta no quarto lado; não havia menos de dez janelas ao todo.

A mesa estava fartamente servida. Coberta de baixelas de prata e mais do que repleta de comidas. A profusão de manjares era inacreditável. Nunca na minha vida eu contemplara um luxo tão suntuoso das boas coisas da vida. Havia, no entanto, mal gosto nos arranjos; e meus olhos, acostumados a luzes mornas, sentiram-se agredidos pelo prodigioso esplendor de inúmeras velas colocadas em candelabros de prata sobre a mesa e espalhados pela casa. Um grupo de criados atentos servia o jantar. Numa mesa, aos fundos da sala, sete ou oito pessoas com violas, flautas, trombone e um tambor. Elas me incomodavam, durante o jantar, com uma infinita variedade de barulhos que pretendia ser música e que parecia dar muita diversão a todos os presentes, exceto a mim.

Tudo o que eu estava vendo era notoriamente bizarro; mas afinal o mundo é composto de todo tipo de pessoas, com maneiras e modos de pensar os mais diversos, e cujos costumes são perfeitamente convencionais. E eu, bem, havia viajado o bastante para ser um bom adepto do *nihil admirari* (não admira). Tranquilamente tomei o meu lugar à direita do dono da casa e, com um bom apetite, honrei perfeitamente a deliciosa ceia.

As conversas eram animadas e sobre assuntos gerais. As senhoras, conforme o costume, falavam muito; percebi logo que a sociedade era composta de pessoas bem-educadas.

O Sr. Maillard era um manancial de piadas. Falava com toda a liberdade da sua posição de diretor de uma casa de alienados. E para minha surpresa, a loucura era o tema favorito de todos convidados.

— Tivemos uma pessoa aqui — disse o gordinho à minha direita — que se imaginava um bule de chá; e por falar nisso, não é incrível que essa particular mania entre tantas vezes na mente dos lunáticos? Dificilmente existe um hospício na França que não apresente um bule humano. O nosso era um bule de fabricação inglesa. Todos os dias, pela manhã, ele mesmo tinha o cuidado de se polir com uma camurça.

— Teve um outro — contou um cavalheiro exaltado, que se achava à minha frente — com a mania de ser um burro, o que, falando metaforicamente, não deixava de ser verdade. Era um paciente rebelde e que dava muito trabalho. Durante muito tempo não queria comer nada que não fosse capim; e ele foi curado porque não deixamos que ele comesse outra coisa. Ficava sempre batendo com os calcanhares no chão... assim... olhe... assim...

— Sr. Kock! — interrompeu uma velha senhora sentada ao lado do orador. Faça o favor de ficar quieto! O Sr. acabou de sujar o meu vestido de brocado com seus pontapés e me feriu. Nosso visitante entende muito bem o que o senhor está dizendo sem necessidade de demonstrações físicas. E a sua imitação é perfeitamente natural! O senhor é quase tão burro quanto o pobre insensato que tenta imitar...

— Perdão, minha senhora — respondeu o Sr. Kock —, mil perdões! A minha intenção não era de modo algum ofendê-la. Dê-me a honra de beber uma taça de vinho comigo.

O Sr. Kock então inclinou-se, beijou cerimoniosamente a sua própria mão e bebeu um copo de vinho com a senhorita Laplace.

— Permita-me sugerir-lhe, meu amigo — disse o Sr. Maillard, dirigindo-se a mim. Prove desta vitela à la Sainte-Menechould.

Três criados fortes acabavam de colocar sobre a mesa, sem incidente, um enorme prato contendo algo que imaginei primeiro ser o *monstrum horrendum* (monstro horrível), mas era apenas uma vitela assada, inteira, apoiada sobre os joelhos e com uma maçã entre os dentes, segundo costuma-se servir a lebre na Inglaterra.

— Não, obrigado — disse eu. — Para falar a verdade, não tenho predileção pela vitela à la... como se chama? Peço-lhe a gentileza de provar antes um pouco de coelho.

— Pierre! — gritou o dono da casa. — Mude o talher deste senhor e sirva-lhe um bocado *de lapin au chat*.

— Coelho o quê? — indaguei.

— Coelho ao gato.

— Está bem, obrigado. Pensando melhor, não sinto mais vontade de comer coelho. Um pouco deste presunto me cairá bem.

Na verdade, pensava eu, esta gente da Provence é capaz de comer de tudo! Não quero provar o seu coelho "ao gato" pela mesma razão que não provaria o seu *chat au lapin*.

— Depois — disse um personagem de rosto cadavérico, ao fundo da mesa, reatando o fio da conversa —, entre outras esquisitices, de tempos em tempos tivemos um paciente que se julgava queijo de Córdova, e que andava sempre de faca na mão convidando seus amigos para cortar um pedaço da coxa dele para provarem.

— Era um louco e tanto — interrompeu outro convidado —, mas não se pode comparar com aquele homem que dizia ser uma garrafa de champanhe e que começava seus discursos com pan... pan... e pschi... i ... i — e o orador pôs o dedo polegar na boca e retirou-o bruscamente imitando o estouro de uma rolha; depois, com um movimento da língua sobre os dentes, imitou a fermentação do champanhe.

Achei a maneira de explicar bem grosseira e também não foi do agrado do Sr. Maillard; mas ele teve a delicadeza de nada dizer, e a conversa foi retomada por um homem muito pequeno e muito magro, com uma grande cabeleira:

— E tinha um imbecil que se dizia uma rã, animal aliás com quem ele muito se parecia, para dizer a verdade. O senhor precisava ter visto a figura — e era a mim que ele se dirigia. — A naturalidade de sua imitação era extraordinária! Chegava a dar pena que aquele homem não fosse uma rã de verdade. Ele coaxava mais ou menos assim: o... o... gh... o... gh...! Era como criar a nota mais bela do mundo! E em si bemol! E quando ele colocava os cotovelos em cima da mesa, assim, depois de ter bebido um ou dois copos de vinho, e dilatava a boca assim, exatamente como estou fazendo agora, e piscando-rapidamente, assim, olhe; pois bem, senhor, posso afirmar que teria caído em êxtase diante do talento daquele homem!

— Não duvido — respondi.

— Havia um outro — disse outro convidado — que queria ser uma pitada de tabaco; e vivia numa tristeza por não poder segurar a si mesmo entre o indicador e o polegar.

— E o Jules Deshoulières, que era um gênio e que endoideceu com a mania de ser abóbora. Vivia perseguindo o cozinheiro para que o transformasse em purê, pedido ao qual o cozinheiro se recusava. Até acredito que uma torta à Deshoulières deveria ser um manjar.

— É espantoso o que o senhor diz! — exclamei, lançando ao Sr. Maillard um olhar de interrogação.

— Há! Há! He! Hi! Hi! — replicou ele. Não se assuste, meu caro; o nosso amigo aqui é muito original, um grande comediante. Não acredite em tudo o que ele diz.

— Conhecemos também Buffon Legrand — falou outro convidado —, um personagem extraordinário no gênero. Enlouqueceu por causa do amor. Ele imaginava ter duas cabeças. Uma, dizia ele, era a de Cícero; a outra era composta, sendo a de Demóstenes da testa até a boca, e a de Lorde Brougham, da boca até a ponta do queixo. Não era impossível que ele se enganasse, mas com certeza ele teria convencido a todos com suas palavras, porque era um homem eloquente. Sua paixão pela oratória chegava a tal ponto que não conseguia evitar demonstrá-la. Ele tinha a mania de saltar para cima da mesa e depois...

Neste momento, alguém sentado ao seu lado segurou-lhe o ombro e disse-lhe algumas palavras ao ouvido; o outro parou repentinamente de falar, voltando a sentar.

— Depois — disse seu amigo, aquele que falava baixo — teve ainda Boulard, o pião. Sua mania singular, mas não destituída de toda a razão, era que o havia transformado em um pião. O senhor teria morrido de rir se o visse girando por horas e horas sobre um calcanhar só, deste modo, veja... Então o amigo que o havia interrompido, pagou-o com a mesma moeda, dando-lhe algum tipo de conselho ao pé do ouvido.

— Mas então — gritou uma senhora velha, de voz estridente — esse Sr. Boulard era um louco, um louco bastante imbecil. Ora, me digam: quem já ouviu falar de um pião humano? Nada mais absurdo! Madame Joyeuse, todos nós sabemos, era uma pessoa mais sensata. É verdade que tinha também a sua mania: era uma mania inspirada pelo senso comum e que divertia quem tivesse a honra de conhecê-la. Pois aquela senhora descobrira, depois de muitas reflexões, que havia sido por acidente transformada em galo; e ela se comportava normalmente, como um galo. Batia as asas, assim, assim, com um grande esforço e seu canto era divino: Cocorocó... cocoricó...

— Madame Joyeuse, peço-lhe que se acalme — interrompeu o dono da casa com certa rispidez. — Se não pode se portar decentemente como convém a uma senhora, saia da sala agora. A escolha é sua!

A senhora, que eu fiquei espantado de ouvir chamar de Madame Joyeuse, depois da descrição que ela mesma fizera de Madame Joyeuse, corou até as orelhas, bastante humilhada com a repreensão. Abaixou a cabeça e não emitiu uma palavra sequer.

Então outra senhora, a mesma moça bonita que conheci na sala, continuou a conversa:

— Ora, Madame Joyeuse era uma boba! Mas fazia muito sentido a opinião de Eugènie Salsafette. Era uma mulher moça e formosa, ar modesto e melancólico, que achava indecente o modo comum de se vestir e gostava sempre de se vestir saindo, e não entrando na roupa. É uma coisa fácil de se fazer, você precisa apenas de fazer isso, e depois isto e depois isto e depois isto...

— Meu Deus! Madame Salsafette! exclamaram umas duas vozes ao mesmo tempo.

— O que está fazendo? Pronto! Chega! Já vimos como se pode fazer isto! Pare!

— E algumas pessoas se levantaram para evitar que Madame Salsafette se pusesse em traje da Vênus de Milo, o que finalmente conseguiram, auxiliadas por gritos e urros vindos de alguma parte do prédio.

Fiquei assustado com os gritos vindos lá de fora; mas os demais convidados sofreram ainda mais. Nunca vi um grupo razoável de pessoas tão apavorado assim na minha vida. Todos ficaram pálidos como cadáveres e, encolhidos nas suas cadeiras, temendo e titubeando de terror e aguardando a repetição dos gritos. Eles continuaram surgindo, mais altos e se aproximando; ouviram-se logo por uma terceira vez mais forte ainda; e enfim, numa quarta vez, com um vigor decrescente. Frente à calmaria aparente da tempestade, todos recuperaram-se e as anedotas recomeçaram com mais ênfase. Atrevi-me então a perguntar a causa de semelhante gritaria externa.

Simples detalhe, uma bagatela — disse o Sr. Maillard — ao qual estamos tão acostumados que nem damos grande importância. Os loucos, de vez em quando, começam a gritar em coro, excitando-se mutuamente, como acontece com frequência com um grupo de cães durante a noite. Muitas vezes esses urros são seguidos de um esforço simultâneo de todos para fugir. Neste caso, é sempre preciso a nossa interferência.

— Quantas pessoas estão presas agora?

— Não mais de dez, no momento.

— Mulheres em geral?

— Não. São todos homens muito vigorosos.

— É mesmo? Pois eu sempre ouvi dizer que a maioria dos loucos pertencia ao sexo feminino.

— É o que em geral acontece; mas nem sempre. Há anos, tínhamos aqui uns vinte e sete loucos, dos quais uns dezoito eram mulheres; mas ultimamente as coisas mudaram, como se vê.

— Sim... mudaram muito, como se vê — interrompeu o cavalheiro que havia ferido as tíbias de Mademoiselle Laplace.

— Sim... mudaram muito, como se vê — repetiram todos em coro.

— Segurem essas línguas! Ouviram bem?! — gritou meu anfitrião, num acesso de raiva.

Com estas palavras, toda a assembleia ficou em silêncio de morte durante um minuto. Houve uma senhora que, seguindo a ordem do Sr. Maillard deixou a língua de fora, uma língua bem comprida, e agarrou-a com as duas mãos conservando-a assim, com muita resignação, até o fim do jantar.

— Aquela senhora — disse eu ao Sr. Maillard, inclinando-me e murmurando-lhe ao ouvido —, aquela senhora que falava ainda agora, com seus cocoricós, é inofensiva, não é, perfeitamente inofensiva? Quer dizer, ela só está ligeiramente atacada — disse eu, apontando para a testa — e não perigosamente afetada.

— Meus Deus! O que imagina o senhor? Esta senhora, minha velha e particular amiga, Madame Joyeuse, é tão normal quanto eu. Ela tem lá suas excentricidades, claro, como, você sabe, todas as mulheres de idade são mais ou menos excêntricas!

— Certamente... certamente. Mas as demais senhoras e cavalheiros...

— São todos meus amigos e meus guardiões — interrompeu o Sr. Maillard, afirmando com altivez —, meus ótimos amigos e assistentes.

— Como? Todos? — perguntei. — As mulheres e os demais?

— Certamente — disse ele. — Não poderíamos manter este lugar sem as mulheres; elas são as melhores enfermeiras lunáticas do mundo; elas têm lá a maneira delas, entende; seus olhos brilhantes têm um efeito maravilhoso, alguma coisa assim como a fascinação das serpentes, entende?

— Entendo, certamente. Elas se comportam de uma forma meio estranha, são meio esquisitas, não lhe parece?

— Estranhas! Esquisitas! Você acha isso seriamente? Falando a verdade, nós, gente aqui do sul, não somos nada pretensiosos; fazemos sempre aquilo que nos agrada; e todos estes hábitos que o senhor acha originais. E depois esse vinho Vougeot é um pouco generoso, compreende, um pouco quente demais...

— Claro, claro — disse eu. — E depois o senhor já me disse que o sistema adotado em substituição ao "sistema tranquilizador" era de um severo rigor!

— Não, eu não disse isso. A reclusão é necessariamente rigorosa; mas o tratamento médico, quero dizer, é até agradável para os doentes.

— E é também inventado pelo senhor esse outro sistema?

— Não, em absoluto. Algumas partes do sistema devem ser atribuídas ao professor Breu, sobre quem o senhor, acredito, já ouviu falar; e houve modificações no meu plano que fico feliz em atribuir ao célebre Pena, com quem, se não me engano, o senhor tem a honra de se relacionar intimamente.

— Sinto-me constrangido de confessar que eu nem sequer ouvi falar antes de nenhum desses cavalheiros.

— Meu Deus do céu! — exclamou o Sr. Maillard, empurrando sua cadeira para trás e levantando as mãos.

— Será que eu ouvi direito? O senhor nunca ouviu falar nem do renomado Doutor Breu nem do célebre Professor Pena?

— Tenho que confessar minha ignorância — respondi. — No entanto sou humilde por não conhecer a obra destes dois. Sem dúvida, homens extraordinários. Vou procurar seus escritos e estudá-los com muita atenção. Mas Sr. Maillard, o senhor conseguiu que eu sentisse vergonha de mim mesmo!

— Não falemos mais nisso, meu jovem — disse ele, gentilmente, pressionando minha mão.

— Acompanhe-me num gole deste Sauterne.

E os convidados seguiram nosso exemplo. Eles falavam, riam gesticulavam, e cometiam mil absurdos. As rabecas rangiam, o tambor aumentava seus tantantãs, os trombones mugiam como touros de Phalares, toda aquela cena exasperava-se cada vez mais, à medida que o vinho imperava sobre todos, convertendo-se a cena numa espécie de pandemônio *in petto* (no íntimo do peito). Enquanto isso, o Dr. Maillard e eu, com algumas garrafas de Sauterne e de Vougeôt em comum, prosseguimos nossa conversa alteando a voz. Uma palavra falada em tom normal teria a mesma chance de ser escutada que a voz de um peixe nas cataratas do Niágara.

— Mas, senhor — disse, quase gritando no seu ouvido —, o senhor mencionou antes do jantar a respeito do perigo que incorriam no velho "sistema tranquilizador". Como assim?

— Ocasionalmente — disse ele —, havia grande perigo, sim. É impossível prever todos os caprichos de um louco; e na minha opinião, assim como na do Dr. Breu e do Prof. Pena, não é nem um pouco prudente deixá-los circular o tempo todo sem vigilância. Um lunático pode ser "tranquilo", como foi chamado o método por uns tempos, mas, ao fim e ao cabo, acaba por provocar distúrbios. Quando tem um plano na cabeça, ele concebe seu desempenho com uma sabedoria formidável; e a destreza com que imitam a sanidade oferece, aos metafísicos, um dos problemas mais singulares para o estudo da mente. Quando um louco aparece totalmente saudável, é o momento de colocá-lo numa camisa-de-força.

— Mas qual o tal perigo de que falava? Já teve uma experiência pessoal deste tipo? Já teve uma razão objetiva para considerar a liberdade como perigosa no caso da loucura?

— Certamente que sim. Há pouco tempo, quando o sistema "tranquilizador" estava ainda em vigor e os lunáticos gozavam de total liberdade. O comportamento deles era excelente e daí uma pessoa experiente teria podido deduzir que aqueles lunáticos estavam tramando algum plano diabólico. Pois bem, numa bela manhã, os guardiões foram encontrados nas celas, de pés e mãos atados, vigiados pelos próprios loucos que haviam usurpado a função dos guardas.

— Nunca ouvi nada de mais absurdo na vida!

— De fato. E tudo isso foi obra de um estúpido, um doido que tinha a mania de ter inventado o melhor sistema de governo que se podia imaginar, o governo dos doidos. E propondo-se a fazer a experiência de sua invenção, persuadiu os demais doentes a juntarem-se a ele numa conspiração a fim de derrubar o poder.

— E conseguiu?

— Sem dúvida. Os guardiões e os guardados tiveram respectivamente de trocar de posição, com o detalhe importante de que os loucos foram liberados e os guardas imediatamente sequestrados nas celas e tratados, é preciso que se reconheça, de maneira bastante cavalheiresca.

— Mas deduzo que uma revolução logo se formou. Uma coisa destas não pode durar muito. Os camponeses da vizinhança, visitantes do hospício, teriam dado o alarme.

— É aí que o senhor se engana. O chefe da rebelião era esperto demais e não admitiu a presença de visitantes. Uma única exceção, num dia, foi a de um cavalheiro de aspecto muito estúpido a ponto de não terem razão de temê-lo. Eles deixaram que ele visse as dependências para se divertir um pouco com ele. Mas depois de terem desfrutado da cara dele, deixaram que fosse embora.

— E quanto tempo durou o governo dos loucos?

— Muito tempo, na verdade, cerca de um mês. Enquanto isso, os loucos puseram de lado suas roupas surradas e avançaram à vontade no guarda-roupa da família; nem as joias lhes escaparam; em seguida dirigiram-se para as adegas do château e não é que os diabos desses loucos são entendedores de vinho e sabem beber muito bem.

— E o tratamento? Qual o tipo de tratamento que o chefe mandava aplicar?

— Bem, quanto a isso, um louco não é necessariamente um bobo; e é a minha modesta opinião que o sistema de tratamento deles era bem melhor do que o nosso. Era um tratamento limpo, simples; era realmente delicioso...

Aqui as observações do dono da casa foram bruscamente cortadas por outra leva de gritos externos. Desta vez as vozes vinham de pessoas se aproximando.

— Pela bondade divina! — gritei. — Os loucos sem dúvida estão soltos!

— Era o que eu mais temia — disse o Sr. Maillard, subitamente pálido. Ele mal terminou a frase, antes de ouvirmos gritos, berros e insultos atrás das janelas; e em seguida, tornara-se evidente que algumas pessoas do lado de fora forçavam a entrada. A porta era agredida com o que parecia ser um martelo acionado com muita violência.

Seguiu-se uma cena de horrível confusão. O Sr. Maillard, para meu espanto, jogou-se para debaixo da mesa. Esperava mais poder de comando por parte dele. Os membros da orquestra que, nos últimos quinze minutos pareciam bêbados demais para cumprir suas funções, escalaram a mesa próxima e agarraram-se a seus instrumentos, começando com um só acorde a tocar *Yankee Doodle*, executando a música se não com harmonia pelo menos com uma energia, durante o tempo todo em que a desordem reinou.

No entanto, o cavalheiro a quem tinham impedido de saltar para cima da mesa, saltou nela desta vez, no meio das garrafas e dos copos, e começou logo um discurso que pareceria de ótima qualidade se alguém tivesse conseguido escutá-lo. Na mesma hora, o homem que nos mostrara sua predileção pelo pião, desatou a girar em roda da sala, de braços abertos, fazendo ângulo reto com o corpo e com tal energia que se teria dito um pião verdadeiro empurrando e deitando por terra tudo o que se encontrava na sua passagem. Ouvi então estalos incríveis e assobio de champanhes e não demorei a perceber que aquele barulho provinha do homem que, durante o jantar, tão bem representara seu papel de garrafa. Ao mesmo tempo, o homem-rã coaxava com toda a força, como se a salvação de sua alma dependesse de cada nota que proferisse. Em meio a toda confusão, dominando todos os outros barulhos, reinava o zurrar contínuo de um burro. Quanto à minha conhecida amiga, Madame Joyeuse, em pé num canto da sala junto ao fogão, ela contentava-se em cantar o mais alto que podia o seu cocoricó!

E então chegou a hora do clímax. Como não havia resistência, além de urros e cocoricós, cerca de dez janelas foram arrebentadas quase que ao mesmo tempo. Jamais esquecerei minhas próprias sensações de assombro e horror ao ver saltar pela janela e jogar-se para o meio de nós outros, acionando os pés, as mãos e as garras, um verdadeiro exército de monstros tenebrosos, que à primeira vista me pareceram chimpanzés, orangotangos ou enormes mandris negros do Cabo da Boa Esperança.

Recebi um terrível golpe, rolei sobre um sofá e lá fiquei estirado. Depois de uns quinze minutos, porém, durante os quais eu escutei o que estava acontecendo, cheguei, enfim, a uma explicação satisfatória para aquela tragédia. Monsieur Maillard, ao que parece, ao me revelar a história do lunático que levara seus colegas à rebelião, estava apenas relatando seus próprios feitos. Este homem, cerca de uns três anos atrás, havia sido o diretor do asilo; mas acabou enlouquecendo e tornara-se paciente. O meu companheiro de viagem que nos apresentou desconhecia o fato. Os guardiões, cerca de dez, tendo sido vencidos, foram untados de breu e bem cobertos de penas e depois trancados nas celas do porão. Ficaram prisioneiros por cerca de um mês, e durante este período Monsieur Maillard generosamente permitiu que dessem a eles não só breu e penas, o que constituía seu "sistema", mas também pão e água. Água que era bombeada para eles diariamente. Por fim, um deles conseguiu escapar por um cano e restituiu a liberdade para os demais.

O "sistema tranquilizador", com importantes modificações, foi retomado no castelo; no entanto, preciso concordar com Monsieur Maillard de que seu próprio "tratamento" era o máximo. Como ele observou, era "simples, limpo e delicioso: não dava trabalho". Não tenho senão poucas palavras a acrescentar. Procurei em todas as bibliotecas da Europa as obras do doutor Breu e do professor Pena e, apesar de todos os meus esforços, não consegui, até o dia de hoje, obter um só exemplar.

O DEMÔNIO DA PERVERSIDADE

The Imp of the Perverse, 1845

Ao examinar as faculdades e impulsos das razões primordiais da alma humana, os adeptos da frenologia, uma pseudociência que alega que a forma e protuberâncias do crânio são indicativas das faculdades e aptidões mentais de uma pessoa, deixaram de mencionar uma tendência que, embora claramente existente como um sentimento radical, primitivo, irredutível, tem sido desprezada por todos os moralistas que os precederam. Na absoluta autonomia da nossa razão, todos nós a temos omitido. A sua existência foi ignorada, unicamente por falta de crença, de fé, seja na revelação seja na conspiração. Jamais nos veio tal ideia, simplesmente por causa do seu caráter fútil. Não se sentia a necessidade de verificar esse impulso, essa tendência. Não concebíamos tal necessidade.

Não podíamos apreender a noção desse *primum mobile* (primeiro movimento), e, dada ainda a hipótese de ela se introduzir em nós à força, jamais teríamos podido compreender o seu significado na ordem das coisas humanas, temporais ou eternas.

Não se negará que a frenologia e uma parte da metafísica são hipoteticamente manipuladas. O homem da metafísica ou da lógica, muito mais que o homem da inteligência e da observação, pretende compreender os desígnios de Deus e estabelecer os planos. Tendo assim aprofundado, com plena satisfação, as intenções de Jeová, ele estabeleceu, baseado nessas falsas intenções, os seus muitos e caprichosos sistemas. Em matéria de frenologia, por exemplo, estabelecemos, primeiro, e naturalmente, que fazia parte dos desígnios da Divindade que o homem comesse. Depois, atribuímos ao homem um órgão de alimentividade, e esse órgão é o instrumento com que Deus obriga o homem a comer. Em seguida, tendo decidido que era vontade de Deus que o homem continuasse a sua espécie, descobrimos logo um órgão de amatividade. E, ainda, os órgãos da combatividade, da idealidade, da causalidade, da construtividade; resumindo, todo e qualquer órgão que representasse uma tendência, um sentimento moral ou uma faculdade da inteligência pura.

E essa organização dos princípios da atividade humana, os spurzheimistas, com ou sem razão, em parte ou na totalidade, não têm feito mais do que seguir as pegadas dos seus antecessores: deduzindo e estabelecendo cada coisa segundo o destino preconcebido do homem com base nas intenções do nosso Criador.

Teria sido mais sensato e seguro basear a nossa classificação, já que precisamos classificar, nos atos que o homem pratica tanto habitualmente quanto acidentalmente. Se não compreendemos Deus nas suas obras visíveis, como o compreenderíamos nos seus pensamentos inconcebíveis, que chamam essas obras à vida? Se não podemos concebê-lo nas suas criaturas objetivas, como o conceberemos nos seus modos incondicionais e nas suas fases da criação?

A indução teria conduzido a frenologia a admitir como princípio primitivo e inato da ação humana algo de paradoxal, a que chamaremos perversidade, à falta de termo mais adequado. Nesse sentido, é, na realidade, uma causa sem motivo, um motivo não motivado. Sob a sua influência, agimos sem um fim perceptível; ou, se isto parece uma contradição de termos, podemos alterar a proposição e dizer que, sob a sua influência, agimos pela simples razão de que não deveríamos agir. Em teoria, não pode haver razão mais sem razão; mas, de fato, não há outra mais forte. Para certos espíritos, em determinadas condições, ela torna-se irresistível. A minha vida não é mais real que esta proposição: a certeza do pecado ou do erro contido em qualquer ato é muitas vezes a força única, invencível, que nos estimula.

Essa tendência dominadora para praticar o mal por amor ao mal nenhuma análise, nenhuma resolução admitirá, com base em elementos posteriores. É um movimento fundamental, primitivo — elementar. Podemos dizer que, se persistimos em certos atos por sentirmos que não deveríamos persistir neles, a nossa conduta é apenas uma modificação daquela que deriva ordinariamente da combatividade frenológica. Mas um simples olhar bastará para descobrir a falsidade de tal ideia. A combatividade frenológica existe pela necessidade da defesa pessoal. É nossa proteção contra lesões. Seu princípio diz respeito ao nosso bem-estar; e assim o desejo de estar bem é estimulado simultaneamente com seu desenvolvimento.

Todo homem, ao apelar para o seu próprio coração, encontrará, finalmente, a melhor resposta para o sofisma de que se trata. Quem consultar lealmente e interrogar atentamente a sua alma estará disposto a negar toda a radicalidade da propensão em questão. Não é mais incompreensível do que distinto. Não há homem, por exemplo, que em dado momento não tenha sido devorado por um desejo ardente de torturar o seu ouvinte com rodeios. Aquele que fala sabe que está desagradando com esses rodeios, embora com a melhor das intenções de agradar; ele geralmente é curto, preciso e claro; a linguagem mais lacônica e luminosa está lutando para ser pronunciada em sua língua; é apenas com dificuldade que ele se abstém de dar-lhe fluxo; é com esforço que ele se obriga a recusar-lhe a passagem, e ele teme e conjura o mau humor daquele a quem se dirige; ele teme e deprecia a raiva daquele a quem se dirige; ainda, o pensamento o atinge, que por certas involuções e parênteses essa raiva pode ser engendrada. Esse único pensamento é o suficiente. O impulso aumenta para um capricho, o capricho para um desejo, o desejo em uma necessidade incontrolável, e o anseio (para profundo pesar e mortificação do falante, e em desafio a todas as consequências) é satisfeito; com profundo pesar e mortificação de quem fala e o desprezo mais absoluto por todas as consequências possíveis.

Temos diante de nós uma tarefa que devemos executar rapidamente. Sabemos que, se atrasarmos, será a nossa ruína. A crise mais importante da nossa vida reclama, com a voz imperativa de uma trombeta, ação e energia imediatas. Somos consumidos de impaciência por meter mãos à obra; o antegosto de um resultado glorioso põe toda a nossa alma em fogo. Essa tarefa tem, forçosamente, de ser iniciada hoje — no entanto, adiamos para amanhã; e por quê? Não há explicação, a não ser o fato de sentirmos que isso é perverso.

Sem aprofundar o sentido, vamos nos servir da palavra. O dia seguinte chega, e, ao mesmo tempo, uma ansiedade em fazer o nosso dever; mas com esse acréscimo de ansiedade surge também um desejo ardente, desconhecido, de diferir mais uma vez — desejo angustiante, pois que a sua natureza é impenetrável. Quanto mais o tempo passa, mais forte se torna esse desejo. Resta apenas uma hora para a ação, e essa hora é nossa. Trememos com a violência do conflito que se agita dentro de nós, com a batalha entre o definido e o indefinido, entre a substância e a sombra.

Mas, se a disputa foi até agora, a sombra que prevalece, nós lutamos em vão. O relógio bate e é a hora do nosso bem-estar. Ao mesmo tempo, é a nota do cantor para o fantasma que há tanto tempo nos intimida.

Este desaparece: estamos livres. Volta a antiga energia. Agora sim, vamos trabalhar. Finalmente! Mas ai! É muito tarde...

Estamos à beira de um precipício. Olhamos para o abismo — e nos sentimos doentes e tontos. Aos poucos, nossa doença, tontura e horror se fundem em uma nuvem de sentimentos inqualificáveis. Por gradações, ainda mais imperceptíveis, essa nuvem assume forma, assim como o vapor da garrafa de onde surgiu o gênio das Mil e Uma Noites.

Mas da nossa nuvem à beira do precipício ergue-se, cada vez mais palpável, uma forma mil vezes mais terrível que qualquer gênio, que qualquer demônio das fábulas. E, contudo, não passa de um pensamento, mas um pensamento assustador, um pensamento que nos gela a alma e as penetra com as ferozes delícias do seu horror.

É apenas a ideia de quais seriam nossas sensações durante uma queda de tal altura. E essa queda, esse aniquilamento precipitado, pela própria razão de que envolve aquela horrível e repugnante de todas as imagens de morte e sofrimento que já se apresentaram à nossa imaginação, por essa mesma causa nós desejamos mais vividamente. E porque nossa razão nos afasta violentamente do abismo, portanto, nós nos aproximamos dela da maneira mais impetuosa. Não há paixão na natureza tão diabolicamente impaciente como a daquele que, estremecendo à beira de um precipício, sonha em lançar-se nele.

Ceder, tentar pensar um só instante, é o mesmo que estar inevitavelmente perdido, pois a reflexão ordena-nos que nos abstenhamos, e é por causa disso mesmo, digo eu, que não podemos fazer. Se não há um braço amigo para nos deter, e se somos incapazes de um esforço para nos afastarmos para longe do abismo, lançamo-nos nele, estamos aniquilados.

Examinemos estas ações e outras análogas, e acharemos que elas resultam unicamente do espírito de perversidade.

Nós as perpetramos porque sentimos que não devemos. Além ou por trás disso, não há princípio compreensível; e poderíamos, de fato, considerar esta perversidade uma instigação direta do Arquidemônio, se não fosse ocasionalmente conhecido por operar em prol do bem.

Já expliquei muito, para responder à sua pergunta, para que possa esclarecer a você por que estou aqui, para que possa atribuir a você algo que deve ter pelo menos o aspecto tênue de uma causa para eu usar estes grilhões, e por eu ocupar esta cela de condenados. Se eu não tivesse sido tão prolixo, você poderia ter me entendido mal ou me achar louco. Dessa forma, você perceberá facilmente que sou uma das muitas vítimas do Demônio da Perversidade.

É impossível que uma ação tenha alguma vez sido maquinada com mais perfeita deliberação. Durante semanas, durante meses, meditei sobre os meios de praticar um assassinato. Fiz mil planos porque a execução de cada um deles implicava uma probabilidade de revelação. Por fim, lendo alguns relatórios franceses, deparei com a história de uma doença quase mortal que atacou Madame Pilau, por causa de uma vela acidentalmente envenenada. O caso me intrigou. Eu sabia que a minha vítima tinha o hábito de ler na cama. Eu sabia, também, que seu apartamento era estreito e mal ventilado. Mas não preciso incomodá-lo com detalhes impertinentes. Não preciso descrever os artifícios fáceis pelos quais substituí, no castiçal de seu quarto de dormir, a vela que encontrei por uma vela de minha própria fabricação. Na manhã seguinte, ela foi encontrada morta em sua cama, e o veredicto do legista foi: morte súbita.

Herdei a sua fortuna, e tudo correu bem durante vários anos. A ideia de ser descoberto não me entrou uma única vez na mente. Quanto aos restos da vela fatal, eu próprio os tinha destruído. Não havia deixado a sombra de um fio que pudesse servir para que me acusassem do crime ou mesmo de mim suspeitassem. É impossível conceber o magnífico sentimento de satisfação que me enchia o peito quando eu pensava na minha absoluta segurança. Durante um longo período de tempo, acostumei-me à deleitação com esse sentimento.

Proporcionava-me um prazer mais real que todos os benefícios puramente materiais resultantes do meu crime. Chegou uma época a partir da qual o sentimento de prazer se transformou, aos poucos, em quase imperceptível, em um pensamento que me dominava e me fatigava. E fatigava-me porque me dominava.

Eu não conseguia me livrar dele por um instante. É comum ficarmos assim incomodados com o zumbido em nossos ouvidos, ou melhor, em nossas memórias, do fardo de alguma canção comum ou de alguns fragmentos inexpressivos de uma ópera. Nem seremos menos atormentados se a canção em si for boa, ou se o ar de ópera for meritório. Desta forma, finalmente, eu me pegaria perpetuamente meditando sobre minha segurança e repetindo, em voz baixa, a frase: "Estou seguro".

Um dia em que passeava na rua, comecei a murmurar, quase em voz alta, essas palavras habituais. Num acesso de atrevimento, eu exprimia-me assim:

— Estou seguro, estou seguro; sim, contanto que não seja tão estúpido que eu próprio me denuncie!

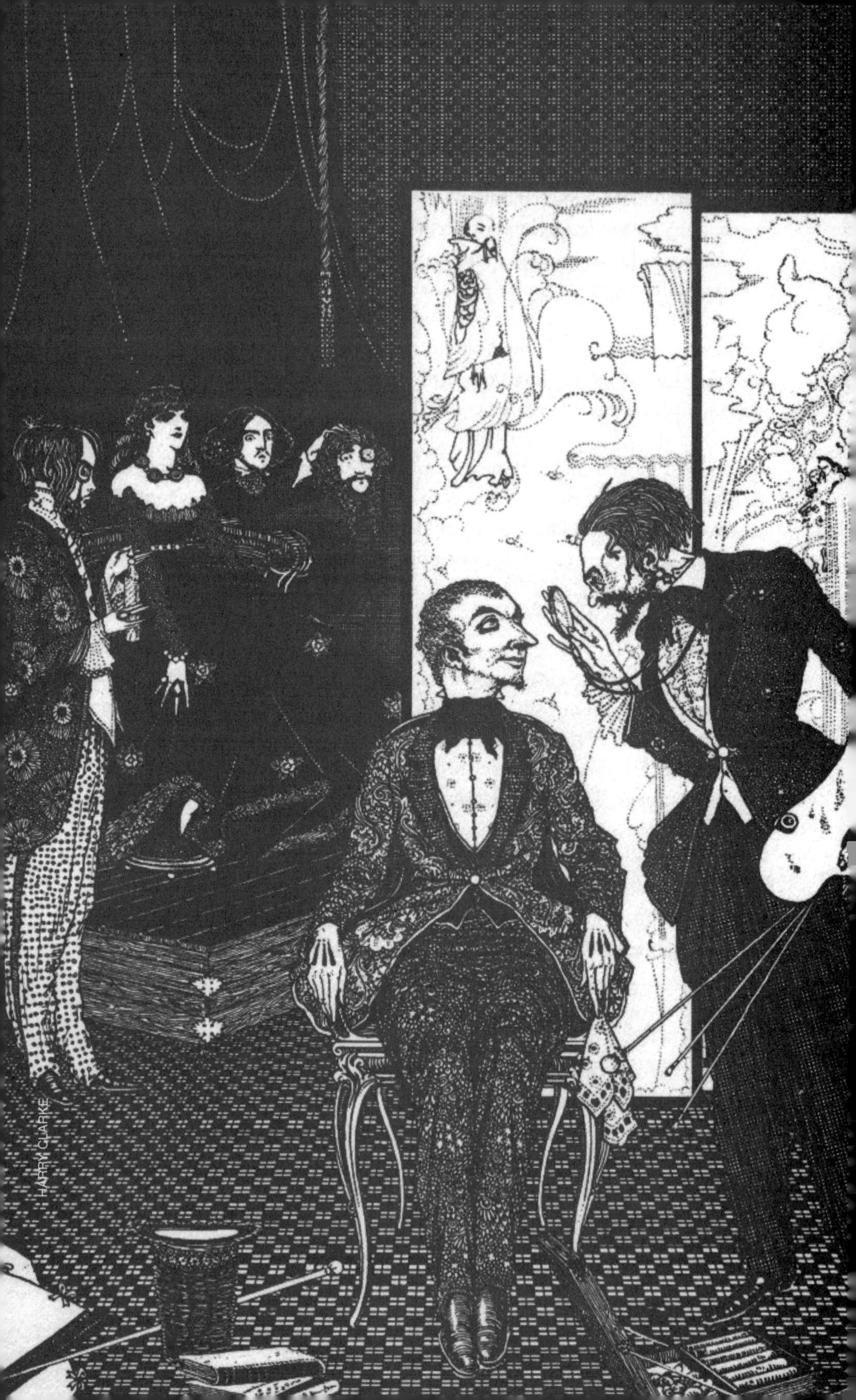
HARRY CLARKE

Mal tinha pronunciado essas palavras, senti um frio penetrar-me até o coração. Eu adquirira uma certa experiência destes acessos perversos, cuja natureza singular expliquei com certa dificuldade, e lembrava-me muito bem de que eu nunca soubera resistir a esses vitoriosos ataques. E agora essa sugestão fortuita, vinda de mim, de que eu pudesse ser bastante estúpido para confessar o assassinato cometido —, enfrentava-me como a própria sombra daquele que eu tinha assassinado e chamava-me para a morte.

A princípio, fiz um esforço para sacudir esse pesadelo da alma. Comecei a caminhar mais depressa, sempre mais depressa; por fim, desatei a correr. Sentia um desejo embriagador de gritar com todas as forças.

Cada onda de pensamento que se seguiu me dominou com um novo terror, pois, ai de mim! Eu bem, muito bem entendi que pensar, na minha situação, era me perder. Eu acelerei meu passo. Saltei como um louco pelas ruas movimentadas. Por fim, a população se assustou e me perseguiu. Senti então a consumação do meu destino. Eu poderia ter arrancado minha língua, eu teria feito isso, mas uma voz áspera ressoou em meus ouvidos, um aperto mais forte agarrou-me pelo ombro. Eu me virei e engasguei. Por um momento, experimentei todas as dores da asfixia. Fiquei cego, surdo e tonto; e então algum demônio invisível, pensei, bateu-me com sua larga palma nas costas. O segredo há muito aprisionado explodiu em minha alma.

Dizem que falei com uma expressão distinta, mas com acentuada ênfase e pressa, como se temesse uma interrupção antes de concluir as breves, mas fecundas frases que me remeteram ao carrasco e ao inferno.

Tendo relatado tudo o que era necessário para a mais plena condenação judicial, caí prostrado em um desmaio.

Mas por que devo dizer mais? Hoje eu uso essas correntes e estou aqui! Amanhã estarei sem grilhões! — Mas onde?

REVELAÇÃO MAGNÉTICA

Mesmeric Revelation, 1844

Ainda que as trevas da vida envolvam as teorias positivas do magnetismo animal, os seus inegáveis efeitos são quase universalmente admitidos. Os que continuam a duvidar desses efeitos são céticos de profissão, pertencentes a uma casta incapaz e pouco honrosa. Perderia hoje, com certeza, o tempo a pessoa que duvidasse do fato de um homem poder, por uma simples vontade, impressionar seu semelhante, e colocá-lo numa situação cujas características se parecem com as da morte, ou que, pelo menos, se parecem com ela muito mais que quaisquer dos fenômenos produzidos em circunstâncias normais estabelecidas. Não seria menos absurdo duvidar de que, durante todo o tempo que esta situação se mantém, a pessoa hipnotizada utiliza com dificuldade os órgãos dos sentidos, apercebendo-se, no entanto, com uma perspicácia particularmente sutil, e como que através de um canal misterioso, dos objetos situados fora do alcance dos próprios órgãos. As suas faculdades intelectuais exaltam-se e se fortalecem de uma maneira sobrenatural; a sua afinidade pela pessoa que hipnotiza torna-se profunda e, finalmente, a suscetibilidade das impressões hipnóticas cresce à maneira que se tornam mais frequentes, ao mesmo tempo que os fenômenos particulares obtidos se ampliam e revelam com a mesma proporção. Seria desnecessário demonstrar os fatos diversos com os quais se define a lei geral do magnetismo animal e quais as suas características principais. Não mostrarei aos meus leitores uma demonstração tão perfeitamente inútil hoje em dia. É outro o meu propósito. Tenho a necessidade, para além de toda a espécie de preconceitos, de contar, sem nenhum comentário, mas com todos os detalhes, o interessante diálogo que tivemos, um hipnotizado e eu. Há muito tempo que tinha o hábito de hipnotizar o senhor Van Kirk, e a suscetibilidade viva, a exaltação do sentido magnético manifestava-se sempre claramente quando fazia essa experiência. Durante muitos meses, o senhor Van Kirk sofrera bastante de uma tuberculose muito avançada, cujos efeitos mais cruéis foram minimizados com os meus passes magnéticos. Estava a situação nestes termos quando na noite de quarta-feira, 15 do corrente mês, me chamaram a sua casa. O doente sofria de dores intensas na região cardíaca e respirava com grande dificuldade, apresentando os sintomas de um ataque de asma. Em outras ocasiões encontrara algum alívio com cataplasmas de mostarda nos centros nervosos, mas, desta vez, fora inútil o remédio. Quando me viu entrar no quarto, cumprimentou-me sorrindo, e, embora cheio de dores físicas, pareceu-me absolutamente tranquilo sob o ponto de vista espiritual.

— Mandei-o chamar — disse-me — não para me aliviar fisicamente, mas para satisfazer tanto quanto possa certas inquietações psíquicas que me têm causado muita ansiedade. Não preciso lhe dizer até que ponto eu era cético sobre a imortalidade da alma, nem também ocultar-lhe que, nessa mesma alma negada por mim, existia sempre um sentimento vago e indefinido da sua própria existência. Mas nunca esse sentimento alcançou o estado de convicção e todos os meus esforços para o conseguir apenas aumentavam o meu ceticismo.

Fui aconselhado a estudar Cousin. Eu o estudei seus próprios trabalhos, assim como suas repercussões na Europa e na América. Por exemplo, chegou às minhas mãos o Charles Elwood; eu o li com profunda concentração. Ao longo da leitura, achei-o coerente, mas as partes que não eram meramente lógicas eram, infelizmente, os argumentos iniciais do herói incrédulo da obra. Em seu resumo, pareceu-me evidente que o autor sequer conseguiu convencer a si próprio; seu fim havia claramente esquecido seu começo, assim como o governo de Trínculo. Estou contando tudo isto como demonstração da minha crença de que, se o homem deve estar intelectualmente convencido da sua própria imortalidade, não será nunca em virtude das puras abstrações que, de um tempo para cá, constituem a monomania dos moralistas ingleses, franceses e alemães. Essas abstrações poderão ser um recreio e até um exercício para a inteligência, mas não conseguem apoderar-se, por completo, do espírito. Enquanto vivermos sobre a terra, a filosofia irá nos incomodar inutilmente com a sua intenção de considerar as qualidades como seres. A vontade poderá permiti-lo, mas a alma e a inteligência nunca. Insisto nisto porque senti quase sempre, mas jamais acreditei nisso intelectualmente. Tem havido, em mim, um aumento da perspicácia desse sentimento que alcançou a intensidade suficiente para provocar uma certa concordância da razão, a ponto de me parecer muito difícil distinguir uma da outra. Tenho o direito de atribuir sensatamente este efeito à influência hipnótica, isto é: a exaltação magnética torna-me apto para conceber um sistema de raciocínio que durante o tempo em que estou submetido a ela me convence, mas por causa da sua inteira subordinação ao fenômeno hipnótico, não se transmite, exceto nos seus efeitos, à minha existência normal. Durante o estado hipnótico há simultaneidade entre o raciocínio e a conclusão, entre a causa e o efeito. Ao voltar ao estado natural, a causa desaparece e o efeito subsiste, embora muito enfraquecido. Estas considerações levam-me a pensar que poderiam obter excelentes resultados de uma série de perguntas bem dirigidas à minha inteligência, em estado hipnótico. O senhor deve ter observado o profundo conhecimento de si mesmo que o hipnotizado manifesta e a amplidão de conhecimento científico que revela em tudo o que diz respeito ao estado magnético. Como resultado, deste conhecimento de si próprio se poderiam obter os dados suficientes para a redação racional de uma doutrina.

Aceitei fazer a experiência que o senhor Van Kirk me propunha. Bastaram alguns passes para ele mergulhar no sono magnético. A sua respiração normalizou-se e parecia não sentir já nenhum mal-estar físico. Transcrevo a seguir a conversa que tivemos e na qual a letra V indicará as palavras do hipnotizado e a letra P as minhas.

P — Está dormindo?
V — Gostaria de dormir mais profundamente.

P (Depois de alguns novos passes) — Dorme agora bem?
V — Sim.
P — Como você acha que sua doença acabará?
V (Depois de uma longa hesitação, e falando com esforço) — Com a minha morte.
P — Está com medo da morte?
V (Com vivacidade) — Não! Não!
P — Agrada-lhe essa perspectiva?
V — Se estivesse acordado, preferiria morrer. O estado hipnótico aproxima-se suficientemente da morte para me satisfazer por si.
P — Gostaria de uma explicação mais clara, senhor Van Kirk.
V — Eu também gostaria, mas isso exige-me maior esforço do que me sinto capaz de fazer. Não está me perguntando bem.
P — Então o que devo perguntar-lhe?
V — Deve começar pelo princípio.
P — O princípio? Qual é o princípio?
V — O senhor já sabe que o princípio é Deus. — Disse isto num tom suave, e com sinais da mais profunda veneração.
P — E que é Deus?
V (Vacilando alguns minutos) — Não posso dizer.
P — Deus não é um espírito?
V — Quando estava acordado, eu sabia o que o senhor entende por espírito; mas agora não me parece mais que uma palavra, como, por exemplo, verdade, beleza, uma qualidade, enfim.
P — Deus é imaterial?
V — Não há imaterialidade. O que não é matéria, não é, a menos que as qualidades sejam consideradas seres.
P — Deus é, então, material?
V — Não.
P — Então o que é?
V (Depois de uma longa pausa) — Vejo-o; vejo-o; mas é muito difícil dizer. — Outra pausa igualmente longa. — Não é espírito, porque existe. Também não é matéria, como o senhor pensa. Há gradações de matéria das quais o homem não tem o menor conhecimento; a mais densa arrasta a mais sutil; a mais sutil penetra a mais densa. A atmosfera, por exemplo, põe em movimento o princípio elétrico; ao mesmo tempo, o princípio elétrico penetra a atmosfera. Estas gradações de matéria aumentam em rarefação e em sutilidade, até que chegamos a uma matéria sem moléculas, indivisível, una. E ao chegar a isto, a lei da impulsão e da penetração modifica-se. A matéria suprema ou indivisível não só penetra os seres como põe todos os seres em

movimento. Portanto, ela é todos os seres em um, que são ela própria. Esta matéria é Deus. O que os homens tentam personificar na palavra "pensamento" é a matéria em movimento.

P — Os metafísicos sustentam que toda ação se reduz a movimento e a pensamento, e que este é a origem daquele.

V — Sim. Vejo agora a confusão de ideias. O movimento é a ação do espírito, não do pensamento. A matéria indivisível, ou seja, Deus, no estado de repouso, é, tal como podemos concebê-lo, o que os homens chamam espírito, e esta faculdade de automovimento, equivalente à vontade humana, é na matéria indivisível o resultado da sua unidade e da sua onipotência. Não sei como e agora vejo, perfeitamente, que nunca saberei. Mas a matéria indivisível, posta em movimento por uma lei ou uma qualidade contida nela, é pensante.

P — Não poderia o senhor dar-me uma ideia mais precisa do que entende por matéria indivisível?

V — As matérias de que o homem tem conhecimento escapam aos sentidos, à medida que se sobe na escala delas. Suponhamos, por exemplo, um metal, um pedaço de madeira, uma gota de água, a atmosfera, um gás, o calor, a eletricidade, o éter luminoso. Agora chamemos a todas essas coisas matéria, e compreendamos toda a matéria numa definição generalizada. Pois, apesar disso, não há duas ideias mais essencialmente distintas que as que concedemos ao metal e ao éter luminoso. Se tomarmos este último, sentiremos uma tentação quase irresistível de o classificarmos como espírito ou como nada. A única consideração que nos detém é o conceito da sua constituição atômica. E, no entanto, temos necessidade de recordar a noção primitiva do átomo, quer dizer, qualquer coisa que possui, na sua infinita pequenez, tangibilidade, solidez e peso. Suprimamos a ideia de constituição atômica; seria impossível considerar o éter como uma entidade, ou, pelo menos, como matéria. À falta de palavra mais adequada, podemos chamar de espírito. Subamos então um grau para além do éter luminoso e imaginemos uma matéria que esteja para o éter, no que diz respeito à rarefação, como o éter está para o metal. Assim, chegaremos, por fim, apesar de todos os dogmas escolásticos, a uma massa única, a uma matéria indivisível. Porque, se podemos admitir uma infinita pequenez nos átomos, supor uma infinita pequenez nos espaços que os separam, seria absurdo. Haverá também outro ponto — um grau de rarefação, em que os átomos são em número suficiente, os espaços desaparecem e a matéria será absolutamente indivisível. Mas ao renunciar da constituição atômica propriamente dita, a natureza desta massa desliza insensivelmente para a nova definição de espírito. E, no entanto, é claro que continua a ser tão matéria como antes. O que não apresenta dúvidas é que é tão impossível conceber o que é espírito como imaginar o que o não é. E quando nos exaltamos de ter encontrado este conceito, enganamos simplesmente a nossa inteligência através da consideração da matéria infinitamente rarefeita.

P — Parece-me que há uma objeção incontestável para essa ideia da coesão absoluta: a fraquíssima resistência dos corpos celestes nas suas revoluções siderais — resistência que existe sem dúvida, mas em grau tão ínfimo que escapou ao conhecimento do próprio Newton. Já sabemos que a resistência dos corpos está em relação direta com a sua densidade. A absoluta coesão é a absoluta densidade. Onde não há intervalos não pode haver passagem. Um éter absolutamente denso constituiria um obstáculo muito mais eficaz para a marcha de um planeta que um éter diamantino ou férreo.

V — O senhor faz essa observação com uma certeza que está, pouco mais ou menos, na razão direta da sua incontestabilidade aparente. Se uma estrela marcha, que importa que passe através do éter ou que o éter a atravesse? Não há erro astronômico mais inexplicável que o que concilia o conhecido atraso dos cometas com a ideia da sua passagem através do éter. Porque, por muito rarefeito que se suponha, o éter sempre apresentará obstáculos a qualquer revolução sideral num período singularmente mais curto que o admitido até agora por todos os astrônomos obstinados em passar por cima, maliciosamente, de um ponto que lhes parece insolúvel. O atraso real é, portanto, idêntico ao que poderia resultar da fricção etérea na sua passagem incessante através dos astros. A força que retarda é instantânea e completa em si mesma, e, além disso, infinitamente crescente.

P — No entanto, nessa identificação da matéria com Deus não seria falta de respeito? — Fui obrigado a repetir a pergunta para que o hipnotizado pudesse compreender plenamente o meu pensamento.

V — Poderá dizer-me por que razão a matéria é menos respeitável que o espírito? Esquece que a matéria de que eu falo é, sob todos os pontos de vista, e principalmente pelas suas altas propriedades, a verdadeira inteligência ou espírito dos escolásticos, e ao mesmo tempo a matéria tal como eles a entendem. Deus, com todos os poderes atribuídos ao espírito, não é mais que a perfeição da matéria.

P — Então o senhor afirma que a matéria indivisível em movimento é pensamento?

V — Em geral, este movimento é o pensamento universal, do espírito universal. Este pensamento cria. Todas as coisas criadas não são mais que o pensamento de Deus.

P — O senhor diz em geral?

V — Sim. O espírito universal é Deus. Para as novas individualidades, a matéria é necessária.

P — Mas o senhor fala agora do espírito e da matéria como os metafísicos...

V — Falo assim para evitar confusões. Quando digo espírito, supõem-se a matéria indivisível ou última. Sob o nome de matéria, compreendo todas as demais espécies.

P — O senhor disse que, para as nossas individualidades, é necessária a matéria...

V — Sim. Porque o espírito, na sua existência incorpórea, é Deus. Para criar seres individuais era necessário encarnar parte do espírito divino. Desta maneira o homem individualiza-se. Desprendido do sentimento corporal, seria Deus. Então o movimento especial das partes encarnadas da matéria indivisível é o pensamento do homem; como o movimento de conjunto é o de Deus.

P — Segundo a sua opinião, desprendido do seu corpo, o homem será Deus.

V (Depois de hesitar) — Eu não podia dizer isso, porque é absurdo.

P (Consultando as suas anotações) — O senhor afirmou que, se se despojasse da vestimenta corporal, o homem seria Deus.

V — Isso sim. O homem, libertado dessa maneira, seria Deus; perderia a individualidade. Mas não pode perder a individualidade porque, para isso, seria preciso conceber a ação de Deus contra si mesmo, uma ação fútil e sem objetivo. O homem é uma criatura. As criaturas são os pensamentos de Deus. E precisamente a natureza de um pensamento consiste em ser irrevogável.

P — Não compreendo bem. O senhor diz que o homem não poderá nunca se desprender do seu corpo...

V — O que eu digo é que não estará nunca sem corpo.

P — Explique melhor.

V — Há dois corpos: o rudimentar e o completo, correspondentes aos dois estados do verme e da mariposa. O que chamamos morte não é mais que uma metamorfose dolorosa. A nossa encarnação atual é progressiva, preparatória, temporal. A nossa encarnação futura é perfeita, definitiva, imortal. A vida definitiva é o objetivo supremo.

P — No entanto, nós temos uma noção palpável da metamorfose do verme.

V — Nós, sim; o verme, não. A matéria de que está revestido o nosso corpo rudimentar encontra-se ao alcance dos órgãos desse mesmo corpo. Os nossos órgãos rudimentares correspondem à matéria que forma o corpo rudimentar, mas não à do corpo supremo. O corpo ulterior, escapa assim à nossa sensação rudimentar e a única coisa que percebemos é a casca que cai e se separa da forma interior, mas não a forma íntima em si mesma. Porque esta forma interior, tal como a sua casca, só pode ser apreciada pelos que já conseguiram conquistar a vida ulterior.

P — O senhor disse frequentes vezes que o estado magnético se parece, de maneira singular, com a morte. Por quê?

V — Quando digo que se parece com a morte deve entender que se parece com a vida ulterior. Porque, durante o estado hipnótico, os sentidos da vida rudimentar descansam e posso perceber as coisas exteriores diretamente sem órgãos, por um agente que estará ao meu serviço na vida ulterior ou inorgânica.

P — Inorgânica?

V — Sim. Os órgãos são mecanismos, em virtude dos quais o indivíduo se põe em relação sensível com certas categorias e formas de matéria, com exceção de outras categorias e de outras formas. Os órgãos humanos são próprios para a sua condição rudimentar, mas apenas para isso. A sua condição ulterior, sendo inorgânica, corresponde a uma compreensão infinita de todas as coisas menos uma, que é a natureza da vontade de Deus, quer dizer: o movimento da matéria indivisível. Formar uma ideia aproximada do corpo definitivo concebendo-o como se fora todo cérebro. Um corpo luminoso comunica uma vibração ao éter encarregado de transmitir a luz. Esta vibração produzirá outras semelhantes na retina, as quais se comunicam ao nervo ótico. O nervo ótico leva ao cérebro e o cérebro à matéria indivisível que o penetra. O movimento desta é o pensamento de que a percepção é o seu primeiro estado vibratório. Tal é a maneira pela qual o espírito da vida rudimentar comunica com o exterior. E este mundo exterior encontra-se, na vida rudimentar, limitado pela idiossincrasia dos órgãos. Mas, na vida ulterior, inorgânica, o mundo exterior comunica com o corpo interior, que, conforme lhe disse, é de determinada substância com certa afinidade com o cérebro, sem outra intervenção além de um éter infinitamente mais sutil que o luminoso. Então todo o corpo vibra em harmonia com esse éter e põe em movimento a matéria indivisível de que está penetrado. Assim, devemos atribuir à ausência de órgãos idiossincráticos a percepção quase ilimitada da vida ulterior. Os órgãos são como revestimentos indispensáveis onde terminam os seres até que se libertem pelo sofrimento.

P — O senhor fala dos seres rudimentares. Haverá, por acaso, outros seres rudimentares, pensantes, além do homem?

V — A incalculável aglomeração de matéria sutil nas nebulosas, os planetas, os sóis e outros corpos que não são nebulosas, nem sóis, nem planetas, têm como único destino servir de alimento aos órgãos idiossincráticos de uma infinidade de seres rudimentares. Mas, sem esta necessidade da vida rudimentar que leva à vida definitiva, todos estes mundos não teriam existido. Cada um deles está ocupado por uma variedade diferente de criaturas orgânicas, rudimentares e pensantes. Em todas elas os órgãos variam com as características gerais do seu habitáculo. Com a morte, essas criaturas se transformam e desfrutam a vida ulterior, a imortalidade, e conhecem todos os segredos, exceto o único. Praticam todos os seus atos e movem-se em todos os sentidos apenas pela vontade. Vivem então, não nos astros, que até agora nos apresentam como os únicos mundos existentes, e para nosso conforto imaginamos que foi criado o espaço, mas no próprio espaço, nesse infinito cuja imensidade efetivamente substancial absorve os astros como sombras.

P — O senhor afirmou que, sem a necessidade da vida rudimentar, não teriam sido criados os astros. Para que serve essa necessidade?

V — Na vida orgânica, tal como na matéria inorgânica, não há nada que possa contrariar a ação dessa lei simples e única que constitui a volição divina. A vida e a matéria orgânicas, complexas, substanciais e governadas por uma lei múltipla foram constituídas com o fim de criar um impedimento.

P — E que necessidade havia de criar esse impedimento?

V — O resultado da lei inviolada é perfeição, justiça, felicidade negativa. O resultado da lei violada é imperfeição, injustiça, dor positiva. Graças ao obstáculo posto pelo número, a complexidade ou a substancialidade das leis da vida e da matéria orgânicas, a violação da lei chega a ser praticável de certo modo. Desta maneira, a dor que é impossível na vida inorgânica é possível na vida orgânica.

P — E que resultado convincente se procura com essa possibilidade de criar a dor?

V — Todas as coisas são boas ou ruins por analogia. A mais simples análise demonstrará que o prazer não é mais que o contraste da dor. O prazer positivo é uma ideia pura. Para se ser feliz até certo ponto é necessário ter sofrido até esse mesmo ponto. Não sofrer nunca equivaleria a nunca ter sido feliz. Mas está demonstrado que, na vida inorgânica, a dor não pode existir. E daí a sua necessidade na vida orgânica. A dor da vida primitiva sobre a terra é a única base, a única garantia da felicidade na vida ulterior, no céu.

P — Ainda preciso compreender uma das suas expressões: a imensidade verdadeiramente substancial do infinito.

V — Isso é devido provavelmente ao fato do senhor não ter uma noção suficientemente genérica da expressão substância. Não devemos considerá-la como uma qualidade, mas como um sentimento; é a percepção dos seres pensantes, da apropriação da matéria pelo seu organismo. Existem muitas coisas na terra que não seriam nada para os habitantes de Vênus, assim como há muitas coisas visíveis e tangíveis em Vênus cuja existência não podemos cultuar. Mas, para os seres inorgânicos — vamos chamar de anjos — a totalidade da matéria indivisível é substância, isto é, para eles a totalidade do que chamamos espaço é a verdadeira substancialidade. Portanto, os astros, vistos sob o ponto de vista material, escapam ao sentido angélico na mesma proporção em que a matéria indivisível escapa ao sentido orgânico sob o ponto de vista imaterial.

Ao dizer essas últimas palavras, a voz do hipnotizado enfraqueceu de uma maneira notável e observei no seu rosto uma expressão tão específica que me

ODILON REDON / THE STICKNEY COLLECTION / THE ART INSTITUTE OF CHICAGO

alarmou e decidi despertá-lo imediatamente. Mal acabava de despertá-lo e ele caiu sobre as almofadas e morreu, sem deixar de sorrir, com um sorriso radiante que iluminava todos os seus traços. Em pouco tempo, o seu corpo adquiriu a imóvel rigidez cadavérica. A sua fronte estava fria como gelo. Talvez a última parte da sua resposta tivesse sido dita já do fundo da região das sombras.

UM HOMEM NA LUA

The Unparalleled Adventure of One Hans Pfaall, 1835

Cheio o coração de delirantes fantasias
Que eu capitaneio,
Com uma lança de fogo e um cavalo de ar
Viajo através da imensidade.

— Canção de Tom O'Bedlan

Segundo as notícias mais recentes de Roterdã, parece que a cidade está em um estado de efervescência filosófica. Produziram-se fenômenos de caráter tão inesperado e tão novo, porém as notícias recebidas são contraditórias que não duvido de que, dentro de pouco tempo, a Europa esteja completamente revoltada, a física comece a fermentar, e a razão e a astronomia se rebelem.

Não me recordo exatamente o dia, reuniram uma imensa multidão, por um motivo que não consigo esclarecer ainda, na grande praça da Bolsa da agradável cidade de Roterdã.

O dia estava quente o que era incomum para a estação, mal havia um sopro de ar; e a multidão agradecia por ser ocasionalmente salpicada com chuvas amigáveis de duração momentânea, que caiu de grandes massas brancas de nuvem que quadriculou de maneira intermitente a abóbada azul do firmamento.

Cerca do meio-dia, uma ligeira, mas notável agitação tornou-se aparente na multidão, seguido do murmúrio de dez mil línguas. Minutos depois, dez mil rostos se levantaram para o céu, dez mil cachimbos desceram, simultaneamente, das dez mil bocas, e um grito, que não podia ser comparado senão ao rugido estrondoso do Niágara, soou amplamente, ao longo da cidade, e para além ainda dos arredores de Roterdã.

A origem dessa confusão logo se tornou evidente. Saindo do fundo de uma daquelas vastas massas de nuvens de contornos rigorosamente definidos, viu-se desembocar e entrar em uma das lagoas da extensão azul um ser estranho, algo estranho, de aparência sólida, e tão singularmente construído, tão fantasticamente organizado que a multidão de burgueses que o fitava de baixo, com a boca aberta, não podia compreender do que se tratava nem podia deixar de se espantar.

Que seria aquilo? Em nome de todos os diabos de Roterdã, o que significava? Que podia pressagiar? Ninguém sabia; ninguém podia adivinhá-lo, nem sequer o mestre burgo Mynheer Superbus Von Underduk teve a menor ideia para desvendar o mistério; então, como nada mais razoável poderia ser feito, cada homem recolocou seu cachimbo cuidadosamente no canto da boca, lançaram fumaças, fizeram uma pausa, moveram-se da direita para a esquerda e grunhiram significativamente; depois, moveram-se da esquerda para a direita, grunhiram novamente, fizeram outra pausa e, por fim, voltaram a lançar novas fumaças.

Entretanto, via-se descer, cada vez mais baixo, cada vez mais perto da cidade de Roterdã, o objeto de tal curiosidade e o motivo de tão espessa fumaça. Em poucos minutos chegou suficientemente perto para que se pudesse distinguir com toda a exatidão. Era, indubitavelmente, uma espécie de balão; mas Roterdã nunca tinha visto balão semelhante.

Vejamos: alguém já viu ou ouviu falar alguma vez de um balão formado por completo de jornais velhos? Na Holanda, pelo menos, não. E, no entanto, ali mesmo, em frente do nariz de todo o povo, ou melhor, um pouco mais alto que o seu nariz, aparecia o artefato em questão construído com aquele material inverossímil. Isto era um enorme insulto ao senso comum dos burgueses de Roterdã.

Quanto à forma do fenômeno, era ainda mais censurável, visto que se tratava de uma carapuça de louco, voltada ao contrário. E esta semelhança, quando se examinava de perto, longe de diminuir, era mais evidente; via-se que em volta da borda superior ou da base do cone havia uma saliência e, dependurados nela, uma série de pequenos instrumentos semelhantes a campainhas de gado que retiniam incessantemente com o ritmo musical de Betty Martin.

Mas o mais extraordinário era que, dependurado de uma das fitas azuis, balançava-se, à maneira de uma barquinha, um imenso chapéu americano de castor cinzento, de abas enormemente largas, copa hemisférica, com uma fita negra e uma fivela de prata. Embora nenhuma pessoa pudesse jurar que conhecia este chapéu, toda a multidão o fitava com olhos familiares, enquanto a senhora Grettel Pfaall lançou, ao vê-lo, uma exclamação de alegre surpresa e declarou que aquele era, positivamente, o chapéu do seu marido.

Esta circunstância era tanto mais importante quanto era certo que Pfaall desaparecera de Roterdã, com três homens, havia aproximadamente cinco anos, e desaparecera de uma maneira tão súbita e inexplicável que até ao momento em que começa esta história tinham fracassado todas as pesquisas e investigações. É bem verdade que tinham descoberto recentemente alguns ossos que se pensava serem humanos, misturados com uma quantidade de lixo de aparência estranha, em um local a leste de Roterdã, e algumas pessoas chegaram a imaginar que, neste local, um crime hediondo foi cometido, e que as vítimas eram, provavelmente, Hans Pfaall e seus companheiros. Mas voltemos à nossa narrativa. O balão tinha descido a trinta metros do solo e mostrava à multidão o seu único tripulante. Era um indivíduo extraordinário. Não teria mais de sessenta centímetros de altura, mas por muito pequeno que fosse, perderia o equilíbrio e passaria pela borda da minúscula nave, se não fosse um rebordo circular que subia até ao peito e estava ligado às cordas do globo.

O corpo do homenzinho era excessivamente volumoso. Os seus pés, naturalmente, não se viam; as mãos eram monstruosamente grossas; tinha os cabelos grisalhos e apanhados atrás, num rabicho; o nariz longo, torto e vermelho; os olhos, brilhantes e vivos; o queixo e as faces, enrugadas pela velhice, eram inchadas; mas por mais que se olhasse não se via nenhuma orelha.

Estava vestido com uma túnica larga de cetim azul-celeste, com calças justas para combinar, presas com fivelas de prata na altura dos joelhos. Seu colete era de algum material amarelo brilhante; um boné de tafetá branco foi colocado em um lado de sua cabeça; e, para completar seu equipamento, um lenço de seda vermelho-sangue envolvia sua garganta e caía, de maneira delicada, sobre seu peito, em um fantástico nó de arco de dimensões transcendentais.

Tendo descido, como eu disse antes, a cerca de trinta metros da superfície da terra, o pequeno e velho cavalheiro foi subitamente tomado por um acesso de trepidação e parecia pouco inclinado a fazer qualquer abordagem mais próxima em terra firme. Jogando fora, portanto, uma quantidade de areia de uma sacola de lona, a qual ele levantou com grande dificuldade e conseguiu, desta maneira, que o balão se mantivesse quieto durante alguns instantes. Então, tirou do bolsinho do casaco uma grande carteira de couro. Ele a segurou com desconfiança na mão, depois olhou para ela com ar de extrema surpresa e ficou evidentemente pasmo com seu peso, abrindo-a. Tirou dela uma carta enorme, fechada com lacre vermelho, e deixou-a cair aos pés do mestre burgo Von Underduck.

Sua excelência inclinou-se para apanhá-la. Mas como naquele momento o aeronauta, cada vez mais inquieto e desejoso de abandonar Roterdã, fazia precipitadamente os seus preparativos de partida, começaram a cair sobre as costas do infortunado mestre burgo, um por um, doze sacos de areia.

Deve supor-se que o grande Underduck não deixou passar impunemente esta impertinência do homenzinho. Segundo dizem, a cada um dos sacos não deixou de lançar a correspondente fumaça do seu estimado cachimbo, o qual o não abandonaria até ao dia da morte.

O balão ergueu-se no ar azul, como uma calhandra, e voando por cima da cidade acabou por se ocultar atrás de uma nuvem semelhante àquela de onde saíra. E desta maneira desapareceu perante os olhos assombrados dos pacíficos cidadãos de Roterdã.

Toda a atenção se concentrou então sobre a carta cuja entrega tinha sido à pessoa de Sua Excelência Von Underduck. Não se esquecera este funcionário de pôr em segurança o objeto tão importante do qual era o primeiro destinatário, e de que era o segundo o professor Rudabub, como presidente e vice-presidente respectivos do Colégio Astronômico de Roterdã.

Aberta a carta imediatamente pelos dignitários, encontraram o seguinte texto extraordinário:

A Suas Excelências Von Underduck e Rudabub, presidente e vice-presidente do Colégio Nacional Astronômico da Cidade de Roterdã.

Com certeza Vossas Excelências não esqueceram o humilde artesão Hans Pfaall, construtor de foles, que desapareceu de Roterdã há aproximadamente cinco anos de uma forma inexplicável e acompanhado de outros três indivíduos. O próprio Hans Pfaall é, com permissão de Vossas Excelências, o autor desta carta.

Todos os meus concidadãos sabem que no momento do meu desaparecimento, eu ocupava a casa de ladrilhos vermelhos situada na rua Sauerkraust, onde vivia há quatro anos. Todos os meus antepassados, desde tempos antigos, exerceram invariavelmente, como eu, a respeitável e lucrativa profissão de construtores e ajustadores de foles. Até estes últimos anos, em que a política aqueceu a cabeça a tanta gente, nunca existiu indústria mais lucrativa que esta e nenhum cidadão de Roterdã a exerceu tão dignamente como eu. Tinha crédito e não precisava nem de dinheiro nem de boa vontade. Mas, infelizmente, começamos a sentir o efeito da liberdade dos discursos do radicalismo e de toda a classe de do mesmo gênero. Pessoas que antes eram os melhores clientes do mundo, agora não tinham tempo para pensar em comprar dos artesãos. Se precisavam de soprar o fogo, contentavam-se em abaná-lo com um jornal.

À medida que o governo debilitava, eu ia adquirindo a convicção de que o couro e o ferro eram cada vez mais indestrutíveis. Bem depressa deixou de haver em Roterdã um único fole que necessitasse de ser reparado. A situação era insustentável. Fiquei mais pobre que os ratos e, como tinha mulher e filhos para manter, e os gastos eram cada vez menos suportáveis, comecei a refletir sobre uma maneira mais conveniente de sair dessa situação.

Não me deixaram, no entanto, os credores tempo suficiente para lamentações. Via literalmente invadida a minha casa por eles, desde manhã até à noite. Havia, sobretudo, três indivíduos que me atormentavam insuportavelmente, sempre na frente da minha porta, e ameaçando-me com o peso da lei. Tanto me molestaram que jurei vingança, se alguma vez tivesse a felicidade de os ter entre as minhas garras.

Foi provavelmente esta sedutora esperança que me impediu de pôr em execução imediatamente o plano de me suicidar. Pareceu mais oportuno dissimular a raiva interior e entretê-los com promessas até que o acaso me pusesse em condições de me vingar deles.

Estava nesse estado de espírito quando um dia em que me sentia mais abatido do que nunca, depois de vagar pelas ruas, cheguei a uma biblioteca pública. Desejoso de dissipar o meu mau humor, agarrei o primeiro volume que tive à mão.

Tratava-se de um livro sobre astronomia especulativa, escrito pelo professor Encke, de Berlim, ou por um francês cujo nome se parece muito com o dele. Como eu tinha algumas noções desta ciência, me interessei pela leitura e fiquei tão absorvido pelo livro que o li duas vezes antes de perceber do tempo que passara.

Quando já começava a anoitecer, fui para minha casa. Mas a leitura da obra astronômica, coincidindo com uma descoberta de física que me comunicara recentemente um primo de Nantes, em segredo, tinha causado no meu espírito uma profunda impressão. Ao longo das ruas crepusculares ia repassando minuciosamente na minha memória os raciocínios incomuns e quase inacessíveis do escritor.

Algumas passagens do livro intrigavam-me extraordinariamente e cada vez era mais intenso o meu interesse. A minha educação limitada, a minha indubitável ignorância a respeito de filosofia natural, longe de me tirar toda a confiança na minha atitude compreensiva ou de me induzir a pôr em dúvida as noções confusas e vagas produzidas pela leitura, eram, pelo contrário, um estímulo poderosíssimo da imaginação. E eu era suficientemente louco ou talvez razoável para perguntar a mim mesmo se essas ideias indigestas que surgem nos espíritos mal coordenados não contêm, na maioria dos casos, toda a força, toda a realidade e todas as outras propriedades inerentes ao instinto e à intuição.

Era já muito tarde quando cheguei a casa. Mas estava muito intrigado para dormir e passei a noite meditando.

Levantei-me muito cedo e fui até uma livraria onde gastei todo o dinheiro que me restava na aquisição de alguns volumes de mecânica e de astronomia práticas.

Levei-os para casa como um tesouro e dediquei à sua leitura os meus forçados momentos de ociosidade; logo adquiri a proficiência em estudos dessa natureza que pensei ser suficiente para a execução de meu plano.

Durante esse tempo, os meus três credores não deixaram de me procurar, até que, por fim, consegui acalmá-los um pouco vendendo parte dos móveis para satisfazer metade da dívida, prometendo liquidar o resto logo que houvesse realizado um pequeno projeto para o qual precisava dos serviços deles. Como se tratava de indivíduos muito ignorantes, não me custou muito convencê-los.

Auxiliado por minha mulher, e com as maiores precauções, procurei obter algum dinheiro, vendendo os bens que me restavam e conseguindo que me emprestassem pequenas quantias.

Com esses recursos, comprei várias peças de cambraia de linho, uma grande quantidade de corda, uma grande porção de verniz de borracha, um enorme cesto de vime feito por encomenda e ainda outros artigos necessários para a construção e equipamento de um balão de extraordinárias dimensões. Dei a minha mulher as ordens necessárias para que o confeccionasse o mais rapidamente possível. Entretanto, eu adquiri numerosos instrumentos e artigos necessários para fazer toda a espécie de experiências nas altas regiões atmosféricas.

Eu então aproveitei a oportunidade de transportar à noite, para uma fazenda a leste de Roterdã, cinco tonéis revestidos de ferro, para conter cerca de cinquenta galões cada, e um de maior tamanho; seis tubos de estanho, sete centímetros de diâmetro, corretamente moldados e três metros de comprimento; uma quantidade de uma determinada substância metálica que não mencionarei, e uma dúzia de garrafões de um ácido muito comum .O gás que devia resultar desta combinação é um gás que ninguém, exceto eu, fabricou até hoje, ou que pelo menos não foi, até hoje, aplicado da forma como eu o apliquei.

A única coisa que direi é que se trata de uma das partes constitutivas do azoto, considerado como irredutível, e cuja densidade é trinta e sete vezes e quatro décimos aproximadamente menor que a do hidrogênio. Não é inodoro, mas é insípido; arde, quando puro, com uma chama esverdeada e ataca instantaneamente a vida animal. Eu não tinha inconveniente algum em revelar o segredo, mas já disse que este pertence a um cidadão de Nantes na França, que me comunicou com essa condição.

O mesmo indivíduo confiou-me, sem que eu lhe pedisse, um processo para construir os balões com certo tecido animal que torna impossível escapar o gás; mas como me parecesse muito dispendioso esse processo, optei por revestir a cambraia com borracha. Menciono esta circunstância porque, provavelmente, penso ser provável que o indivíduo em questão possa tentar uma ascensão de balão com o novo gás e material de que falei, e não desejo privá-lo da honra de uma invenção tão importante.

Em cada um dos sítios que os cinco barris pequenos deviam ocupar abri um buraco; os cinco buracos formavam um círculo de sete metros de diâmetro. No centro deste círculo cavei um buraco mais profundo para colocar a barrica maior.

Em cada um dos cinco buracos coloquei uma caixa de lata contendo vinte e dois quilos de pólvora, e no buraco maior um barril pequeno com sessenta quilos. Depois fiz passar, de um buraco a outro, uma corda untada com breu, e coloquei finalmente as cinco barricas nos lugares respectivos.

Além dos artigos anteriormente encomendados, transportei para o depósito geral, oculto convenientemente, um dos aparelhos aperfeiçoados de Grimm para a condensação do ar atmosférico. No entanto, descobri que esta máquina precisava de modificações importantes para ser empregada como eu imaginei; mas graças à minha perseverança consegui fazer as modificações necessárias.

Tudo ficou pronto depressa. O balão podia conter mais de quarenta e um milhão e cento e trinta e dois mil metros cúbicos de gás e sustentaria facilmente, segundo os meus cálculos, não só a mim e a todo o equipamento, mas também trinta e quatro quilos de lastro.

Envernizei três vezes o tecido e vi com satisfação que a cambraia fazia o mesmo efeito que a seda: tinha a mesma solidez e, além disso, custara mais barato.

Estando tudo pronto, exigi da minha esposa um juramento de sigilo em relação a todas as minhas ações desde o dia da minha primeira visita à biblioteca; e prometendo, de minha parte, voltar assim que as circunstâncias permitissem, dei a ela o pouco dinheiro que me restava e despedi-me dela.

Na realidade, a sua situação não me preocupava, trata-se de uma dessas mulheres notáveis capazes de se sustentarem sozinhas e de seguir a diante sem a minha ajuda. Finalmente, e para dizer a verdade, tenho a ideia de que sempre me considerou um preguiçoso, um contrapeso, um homem apenas capaz de fazer castelos no ar e nada mais; no fundo, não devia se importar muito por se ver livre de mim.

Era uma noite sombria quando nos despedimos pela última vez.

Levando comigo, como ajudantes de campo, os três credores que me tinham dado tanto trabalho, carregamos o balão, com o cesto e acessórios, por um caminho sinuoso, para o lugar onde os demais artigos foram depositados. Lá, encontramos todos os objetos, e fui imediatamente ao trabalho.

Era o dia 1.º de abril. Numa noite, muito sombria, como disse anteriormente, mal se distinguia uma estrela, e caía uma chuvinha muita incômoda. No entanto, o que mais me preocupava era o balão, que, apesar do verniz protetor, pesava cada vez mais por causa da humidade. Receava também que a pólvora se estragasse. Por isso apressava os meus ajudantes, fazendo-lhes acelerar o passo. Eles não deixavam de manifestar o descontentamento que sentiam e enchiam-me de perguntas que naturalmente não tinham resposta. Não compreendiam a vantagem que podiam obter, empapando-se de água até aos ossos, só para se fazerem cúmplices de uma situação estranha. Tantas coisas me disseram que comecei a inquietar-me seriamente, porque percebi que aqueles idiotas acreditavam que eu tinha um pacto com o diabo para realizar um trabalho sobre-humano.

Houve momentos em que os vi dispostos a deixar-me ali plantado, e tive que utilizar toda a minha inteligência para os convencer de que receberiam até ao último centavo logo que toda a tarefa terminasse. Naturalmente isso me ajudou muito para os convencer a confiança que tinham, no fundo, em que eu chegaria a ser imensamente rico, embora lhes fosse indiferente o que ia acontecer ao meu corpo e à minha alma.

Depois de quatro horas, aproximadamente, considerei que o balão estava suficientemente cheio. Pendurei o cesto e pus dentro dele todo o meu equipamento: um telescópio, um barômetro com algumas modificações importantes, um termômetro, um eletrômetro, um compasso, uma bússola, um relógio de segundos, um *sino*, uma buzina, assim como um globo de vidro, no qual tinha feito previamente o vácuo, fechando-o hermeticamente, sem esquecer o aparelho condensador, cal viva, um pau de lacre, abundante provisão de água e alimentos suficientes, tais como pemmican, que, em pequeno volume, contém enorme quantidade de substâncias nutritivas. Por fim, pus também no cesto um casal de pombos e uma gata.

O sol estava quase nascendo e deduzi que tinha chegado o momento de efetuar a partida. Deixei cair, como que casualmente, o charuto aceso, e ao baixar-me para o apanhar procurei deitar o fogo à mecha, cujo extremo, como disse, já sobressaía um pouco por debaixo da borda inferior de um dos barris.

Nenhum dos meus três carrascos deu conta desta manobra, pela sua rapidez. Saltei depois para o cesto e, cortando a última corda que me retinha ao solo, vi com alegria que o balão subia rapidamente.

No entanto, apenas subira a uma altura de quarenta e cinco metros quando soou debaixo de mim um barulho espantoso e o ar se encheu de uma espessíssima tromba de fogo e de fumo, no meio da qual voavam pedaços de madeira, de ferro e membros humanos. Senti desfalecer o meu coração e acocorei-me no fundo do cesto, tremendo de horror.

Compreendi então que tinha carregado demasiado o cesto e que ia sofrer as consequências disso. Efetivamente, não tinha ainda passado um segundo quando senti todo o sangue do meu corpo subindo para as têmporas e, imediatamente, uma concussão e, subitamente, uma explosão que não esquecerei nunca, fez estremecer as trevas e pareceu separar em dois o firmamento. Mais tarde, quando pude refletir, atribuí a extrema violência da explosão à sua verdadeira causa, isto é, ao fato de estar colocado imediatamente por cima dos barris, portanto dentro do seu poderoso raio de ação.

Mas no momento da explosão não pensei senão em salvar a vida. O balão, a princípio, torceu-se, depois dilatou-se furiosamente e começou a dançar com uma velocidade vertiginosa, e, por fim, cambaleando como um bêbado, lançou-me pela borda do cesto, ficando preso a uma altura espantosa, com a cabeça para baixo, ao extremo de uma corda muito curta e muito delgada na qual se envencilhou providencialmente o meu pé esquerdo.

É impossível ter uma ideia justa do horror da minha situação. Abri a boca para respirar; um tremor de febre sacudia todos os nervos e músculos do meu corpo, os olhos desorbitavam-se, sentia-me atacado de náuseas, e por fim perdi os sentidos.

Não posso dizer quanto tempo permaneci naquele estado, mas devia ter decorrido muito porque, ao recobrar em parte os meus sentidos, era dia claro. O balão encontrava-se a prodigiosa altura por cima da imensidade oceânica, e até aos limites onde a vista alcançava não se avistava o menor vestígio de terra.

Preciso confessar que as minhas sensações, ao voltar a mim, não eram tão dolorosas como seria de esperar. Realmente havia muito de principiante na calma avaliação que comecei a fazer de minha situação. Passei a mão pelos olhos questionando, com assombro, que acidente poderia fazer inchar assim as minhas veias e enegrecer as minhas unhas. Depois examinei cuidadosamente a cabeça, sacudi-a várias vezes e apal-

pei-a atentamente, até que me convenci de que não era tão grande como o balão. Em seguida, com o hábito do homem que sabe onde estão os seus bolsos, meti as mãos nos das calças, e ao dar conta que perdera o caderno de anotações e o estojo dos palitos dos dentes, procurei explicar a causa desse desaparecimento; e como não consegui, fiquei desapontado. Pareceu-me então sentir uma dor no pé esquerdo e a obscura consciência da minha situação começou a agitar o meu espírito.

Mas não senti nem assombro nem terror. A única emoção experimentada foi uma espécie de satisfação ao pensar na destreza necessária para sair de uma situação tão singular. Durante alguns minutos, fiquei mergulhado na mais profunda meditação. Tenho uma nítida lembrança de comprimir os lábios com frequência, colocar o dedo indicador na lateral do nariz e fazer uso de outras gesticulações e caretas comuns aos homens que, à vontade em suas poltronas, meditam sobre questões complexas ou importantes.

Quando supus suficientemente coordenadas as minhas ideias, procurei levar, com toda a precaução, as mãos às costas, e com paciência consegui tirar do cinturão a grossa anilha de ferro. Depois coloquei-a entre os dentes, e desfiz o nó da gravata; é claro que tinha de descansar um pouco, pois esta operação era fatigante; mas consegui acabá-la com êxito, e atando um dos extremos da gravata ao anel, prendi o outro, muito apertado, ao punho direito. Levantei então o corpo por meio de um prodigioso esforço muscular, e consegui, à primeira tentativa, lançar a anilha, como me propunha, ao rebordo circular do cesto.

O meu corpo formava então com este um ângulo de 45 graus, aproximadamente, o que não significa que estivesse a 45 graus por baixo da perpendicular. Nada disso. Continuava colocado num plano quase paralelo ao nível do horizonte, porque a nova posição que tinha conquistado teve por efeito inclinar o fundo do cesto e, portanto, a minha posição era a mais penosa possível.

Tinha todos os motivos para agradecer o acaso, mas a verdade é que estava de tal forma estupefato que permaneci suspenso durante um tempo, sem dar conta daquela situação extraordinária, sem tentar o mais rápido esforço, perdido numa calma singular e com a mais idiota beatitude. Não devia tardar muito em acabar esta disposição do meu ânimo para se transformar num sentimento de horror, de espanto e de absoluto desespero. O sangue, tanto tempo acumulado na cabeça e na garganta, e que me causara um saudável delírio, cuja ação substituía a energia física, começava agora a recobrar o nível habitual. Com a clarividência aumentava a percepção do perigo, deixando-me o sangue-frio e a coragem necessários para afrontá-lo.

Mas para minha sorte essa debilidade não durou muito tempo. A energia do desespero veio oportunamente e, com gritos e esforços frenéticos, lancei-me convulsivamente numa agitação geral de todo o meu corpo, conseguindo por fim agarrar-me ao rebordo do cesto, e, saltando por cima dele, caí de cabeça no fundo.

Só algum tempo depois é que me recuperei o suficiente para tratar dos cuidados do balão. Examinei-o com atenção e descobri, para meu grande alívio, que não estava danificado. Meus implementos estavam todos seguros e, felizmente, não perdi nem lastro nem provisões. Na verdade, eu os havia segurado tão bem em seus lugares, que tal acidente estava totalmente fora de questão.

Olhei para o relógio: marcava seis horas.

O balão subia rapidamente e o barômetro marcou uma altura de quatro quilômetros.

Justamente debaixo de mim aparecia no oceano um pequeno objeto negro de forma ligeiramente alargada e com as dimensões de uma pedra de dominó, com a qual se parecia de uma maneira extraordinária.

Foquei o meu telescópio sobre esse objeto e vi então que se tratava de um navio de guerra inglês. Além dele não via mais que o oceano e o céu, no qual brilhava o sol.

Já é tempo de explicar a Vossas Excelências o objetivo da minha viagem.

Lembram-se Vossas Excelências de que a minha deplorável situação me fizera pensar no suicídio. Não era que eu estivesse desgostoso da vida, mas porque me sentia afogado pela miséria da minha situação.

Nesse estado de espírito, desejoso de viver, mas cansado da vida, o livro que caiu nas minhas mãos por acaso abriu um recurso para minha imaginação. Então eu finalmente me decidi. Decidi partir, mas viver; deixar o mundo, mas continuar a existir; em suma, a abandonar enigmas, resolvi, deixar o que aconteceria, forçar uma passagem, se pudesse, para a Lua. Agora, para que eu não seja considerado mais louco do que realmente sou, vou detalhar:

A distância real da lua da terra era a primeira coisa a ser atendida. Agora, a média ou intervalo médio entre os centros dos dois planetas é 59,9 dos raios equatoriais da Terra, ou apenas cerca de 381414,5 quilômetros. Eu digo a média ou intervalo médio. Mas deve-se ter em mente que a forma da órbita da lua sendo uma elipse de excentricidade no valor de pelo menos 0,05484 do semieixo maior da própria elipse, e o centro da Terra sendo situado em seu foco, se eu pudesse encontrar a Lua, em seu perigeu, a distância acima mencionada seria materialmente diminuída. Mas, para não dizer nada neste momento sobre esta possibilidade, era muito certo que, em todo caso, dos 381414,5 quilômetros eu teria que deduzir o raio da terra, digamos 6.000 quilômetros, e o raio da lua, digamos 1700, em todas as 8.080, deixando um intervalo real a ser percorrido, em circunstâncias médias, de 373239 quilômetros. Bem, isso, refleti, não era uma distância muito extraordinária. Viajar por terra tem sido repetidamente realizado a uma taxa de 48 quilômetros por hora e, de fato, uma velocidade muito maior pode ser antecipada. Mas, mesmo nessa velocidade, não demoraria mais do que 322 dias para chegar à superfície da lua.

Vou explicar a Vossas Excelências em que se baseia o meu convencimento em poder aumentar a velocidade.

O próximo ponto a ser considerado era um assunto de muito maior importância. A partir das indicações fornecidas pelo barômetro, descobrimos que, em ascensões da superfície da Terra, temos, à altura de 304 metros, abaixo de nós cerca de um trigésimo de toda a massa de ar atmosférico, que em 32000 subimos por quase um terço; e que aos 54000, que não está longe da elevação do Cotopaxi, superamos a metade do material, ou, em todo caso, a metade do corpo de ar ponderável que incumbe ao nosso globo. Também é calculado que a uma altitude não excedendo a centésima parte do diâmetro da Terra, isto é, não excedendo 128 quilômetros, a rarefação seria tão excessiva que a vida animal não poderia ser sustentada de maneira alguma, e, além disso, que os meios mais delicados que possuímos para verificar a presença da atmosfera seriam inadequados para nos assegurar de sua existência.

Não deixo de observar que todos estes cálculos se baseiam unicamente sobre o nosso conhecimento experimental das propriedades do ar e das leis mecânicas que regem a sua dilatação e a sua compressão, no que poderíamos chamar, falando comparativamente, a proximidade da Terra. E ao mesmo tempo considera-se como um fato positivo que a uma distância determinada, mas inacessível, da sua superfície, a vida animal é e deve ser essencialmente incapaz de modificação.

A maior altura a que chegou um homem é a de 7620 metros; refiro-me à expedição aeronáutica dos senhores Messieurs Gay-Lussac e Biot. É uma altura bastante medíocre, sobretudo se a compararmos com os 128 quilômetros em questão, e, como é natural, eu não podia deixar de duvidar das afirmações anteriores.

Supondo uma ascensão a uma altura determinada, a quantidade do ar atravessado durante todo o período posterior da ascensão não é de forma alguma proporcional à altura adicional conseguida, como se pode ver do que foi anteriormente mencionado, mas em um sentido de constante diminuição. É evidente que, elevando-nos o mais possível, não podemos chegar a um limite por cima do qual a atmosfera cesse, por completo, de existir.

Deve existir, visto que pode existir num estado de rarefação infinita.

Por outro lado, já sabia que não faltam argumentos para demonstrar que existe um limite real e determinado da atmosfera para além da qual não há, de nenhum modo, ar respirável. Mas os que acreditam esqueceram uma circunstância que poderia ser, não uma refutação da sua doutrina, mas um ponto para uma séria investigação. Comparemos os intervalos entre os retornos sucessivos do cometa Encke ao seu periélio, tendo em conta todas as perturbações pertinentes à atração planetária, e veremos que os períodos diminuem gradualmente, ou seja, que o grande eixo da elipse do cometa vai reduzindo numa proporção lenta, mas perfeitamente gradual. É o caso que deve dar-se se supusermos que o cometa sofre a resistência de um meio etéreo exageradamente rarefeito que penetra as regiões da sua órbita.

Evidentemente que, retardando-se desta maneira a velocidade do cometa, aumenta a sua força centrípeta, e enfraquece a sua força centrífuga. Ou seja, a atração solar seria cada vez mais poderosa e o cometa iria se aproximar cada vez mais a cada nova revolução. Não há outra forma de explicar esta variante.

Vejamos agora outro fato. Observa-se que o diâmetro real da parte nebulosa deste mesmo cometa se contrai rapidamente à medida que se aproxima do sol e se dilata com a mesma rapidez quando se aproxima do seu afélio. Não tinha motivo para supor, com Valz, que esta aparente condensação de volume tinha a sua origem na compressão desse meio etéreo do qual falava há um momento, e cuja densidade é proporcional à proximidade solar?

O fenômeno, que assume a forma lenticular e que se chama luz zodiacal, era também um ponto de atenção. Esta luz tão visível nos trópicos, e impossível de confundir com uma luz meteórica qualquer, eleva-se obliquamente do horizonte e segue em geral a linha do equador solar. Parecia originar-se de uma atmosfera rarefeita que se estendesse do Sol até para além da órbita de Vênus pelo menos, e, talvez, muito mais longe ainda.

Não podia pensar que este meio estivesse limitado pela linha de percurso do cometa ou confinasse imediatamente com o Sol. Era sensato imaginar que invadia todas as regiões do nosso sistema planetário, condensando-se em volta dos planetas naquilo que chamamos atmosfera e modificando-se talvez em alguns por circunstâncias completamente geológicas. Quer dizer, modificado ou variado nas suas proporções ou na sua natureza essencial pelas matérias volatizadas que emanam dos seus respetivos globos.

Tendo adotado essa visão do assunto, não tive mais hesitações. Admitindo que na minha passagem eu encontrasse a atmosfera essencialmente a mesma que na superfície da terra, eu concebi que, por meio do engenhoso aparelho de M. Grimm, eu poderia prontamente ser capaz de condensá-la em quantidade suficiente para as necessidades respiratórias. Isso removeria o principal obstáculo em uma viagem à lua. De fato, havia gasto algum dinheiro e muito trabalho para adaptar o aparelho ao objetivo pretendido e esperava com confiança sua aplicação bem-sucedida, se conseguisse completar a viagem dentro de um período razoável. Isso me traz de volta à velocidade com que pode ser possível viajar.

Vejamos agora o assunto da velocidade. Todos sabem que os balões, no primeiro período da sua ascensão, se elevam com uma velocidade relativamente moderada. A força de ascensão está na relação que existe entre o peso do ar e o do gás que contém o balão, e, à primeira vista, não parece muito provável nem aceitável que o balão, à medida que ganha em altura e chega sucessivamente a camadas atmosféricas de densidade decrescente, possa ganhar em rapidez e acelerar a sua velocidade primitiva. Por outro lado, não me lembrava de ter lido, em nenhuma experiência anterior, a comprovação de uma diminuição aparente na velocidade absoluta da ascensão, embora tal coisa pudesse suceder tendo em conta a fuga do gás através de um aeróstato mal fabricado e geralmente coberto de verniz insuficiente. Parecia-me, portanto, que o efeito desta perda podia compensar apenas a aceleração adquirida pelo balão à medida que se afastasse do centro de gravidade.

Eu imaginava que, desde que encontrasse na minha travessia o meio imaginado, e desde que fosse da mesma composição do que chamamos ar atmosférico, era pouco importante o seu grau de rarefação sob o ponto de vista da minha força ascensional, porque não só o gás do balão estava submetido à mesma rarefação, mas também porque, pela natureza das suas partes integrantes, devia ser especificamente mais leve que um composto qualquer de oxigênio e de azote. Havia, portanto, uma forte probabilidade para que em nenhum momento da minha ascensão chegasse a um ponto em que os pesos retinidos do balão, do gás rarefeito que continha, do cesto e de todo o resto, pudessem igualar o peso da atmosfera deslocada. Compreenderão assim que essa era a única condição capaz de me deter; mas, supondo que acontecesse isso, ainda me ficava a possibilidade de dispor do lastro e de outros pesos que somavam um total de 140 quilos.

Ao mesmo tempo, como a força centrípeta iria diminuindo em razão do quadrado das distâncias, chegaria, com uma velocidade muito acelerada, às longínquas regiões onde a força de atração da terra seria substituída pela da Lua.

Ainda havia outra dificuldade, que me causou inquietação. Observou-se que, em ascensões de balão a qualquer altura considerável, além da dor que acompanha a respiração, grande inquietação é experimentada na cabeça e no corpo, muitas vezes acompanhada de hemorragias nasais e outros sintomas de tipo alarmante, e cada vez mais e mais inconveniente em proporção à altitude atingida.

Não seria provável que esses fenômenos aumentassem até terminarem com a própria morte? No entanto, após uma reflexão, concluí que não.

Era necessário procurar a origem disso no desaparecimento progressivo da pressão atmosférica, à qual está acostumada a superfície do nosso corpo, e na distensão inevitável dos vasos sanguíneos superficiais, mas não em uma desorganização positiva do sistema animal como no caso da dificuldade respiratória, onde a densidade atmosférica é quimicamente insuficiente para a renovação regular do sangue no ventrículo do coração. Se faltasse esta renovação havia motivo suficiente para que a vida não subsistisse, inclusive no vácuo, porque a expansão e a compressão do peito que se chama respiração não é mais que um ato puramente muscular. Não é a causa, mas o efeito da respiração.

Eu estava certo de que, habituando-se o corpo à ausência da pressão atmosférica, estas sensações dolorosas diminuiriam gradualmente e, para as suportar todo o tempo necessário, confiava na solidez férrea da minha constituição.

Uma vez expostas algumas das considerações, não todas, certamente, que me levaram a projetar uma viagem à Lua, vou agora, com permissão de Vossas Excelências, expor o resultado de uma tentativa tão revolucionária e sem precedentes nos anais da humanidade.

Tendo atingido a altura a que me referi anteriormente, ou cinco quilômetros, joguei fora do cesto algumas penas e vi que continuava subindo rapidamente; não precisava, portanto, de jogar fora qualquer lastro. Isto satisfez-me, porque desejava conservar a maior quantidade de lastro possível pela sensata razão de que não tinha nenhum dado positivo sobre o poder de atração e sobre a densidade atmosférica da Lua. Sentia-me perfeitamente bem, sem nenhum mal-estar físico; respirava tranquilamente e não tinha dor de cabeça. A gata deitara-se sobre o meu casaco colocado ao fundo do cesto, e olhava para as pombas com ar desdenhoso.

Estas, a que atara as patas para impedir que voassem, estavam muito entretidas em bicar alguns grãos de arroz.

Às seis e vinte o barômetro assinalava uma altura de 8 quilômetros. A perspectiva era ilimitada. Nada mais fácil que calcular, com a ajuda da trigonometria esférica, a extensão da superfície terrestre que os meus olhos dominavam. A superfície convexa de um segmento de esfera está para a superfície total da esfera como o seno verso do segmento está para o diâmetro da esfera. Mas, no meu caso, o seno verso, isto é, a espessura do segmento situado debaixo de mim, era pouco mais ou menos igual à minha elevação ou ao ponto de vista por cima da superfície. A proporção de cinco para oito quilômetros exprimiria, portanto, a extensão da superfície visível, quer dizer: via somente uma décima sexta centésima parte de toda a superfície do globo terrestre.

O mar parecia um espelho, embora com a ajuda de um telescópio descobrisse que se encontrava em estado de violenta agitação. O navio já não era visível. Comecei a sentir uma forte dor de cabeça, que se repetia com intermitências, embora continuasse a respirar bem. A gata e as pombas não pareciam sentir o menor mal.

Vinte minutos antes das sete, o balão entrou em uma série de nuvens espessas, que me colocaram em grande dificuldade, danificando meu aparelho de condensação e molhando-me até a pele. Este foi, com certeza, um encontro singular, pois eu não acreditava ser possível que uma nuvem dessa natureza pudesse ser sustentada em semelhante uma altitude.

Atirei fora dois pedaços de lastro de dois quilos cada um; restavam-me, portanto, 74 quilos.

Graças a esta operação, atravessei rapidamente o obstáculo e, em seguida, percebi que tinha ganhado velocidade de uma maneira rápida.

Poucos segundos depois de ter abandonado a nuvem esta foi atravessada por um relâmpago, e que a incendiou totalmente, dando-lhe o aspecto de uma enorme massa carbonífera em ignição. Não se esqueçam de que isto aconteceu à plena luz *da manhã. Imaginem o que seria, de sublime, este fenômeno se se desenrolasse nas trevas da noite. Somente o inferno nos poderia dar imagem como essa.*

Aquele espetáculo eriçou-me os cabelos, e, no entanto, não podia deixar de mergulhar o olhar nos ardentes abismos daquele fogo espantoso e sinistro.

Eu realmente havia escapado por um triz. Se o balão tivesse ficado muito pouco tempo dentro da nuvem, ou seja, não tivesse o inconveniente de me molhar, me determinando a descarregar o lastro, a inevitável ruína teria sido a consequência. Esses perigos, embora pouco considerados, são talvez os maiores que devem ser encontrados nos balões. Apesar disso eu já tinha alcançado uma altura tal que podia ficar tranquilo.

Às sete o barômetro assinalava 15 quilômetros.

Comecei a ter grande dificuldade em respirar. Minha cabeça também doía excessivamente; e, tendo sentido por algum tempo uma umidade em minhas bochechas, finalmente descobri que era sangue, que escorria muito rápido dos meus ouvidos. Meus olhos também me incomodaram muito. Ao passar a mão sobre eles, pareciam ter saído de suas órbitas; e todos os objetos no cesto, e até o próprio balão, pareciam distorcidos à minha visão.

Como todos esses sintomas excediam o que eu havia suposto, cheguei a alarmar-me seriamente e cometi a imprudência de jogar fora do cesto mais 6 quilos de lastro. A velocidade aceleradíssima da ascensão levou-me rapidamente e sem gradações sucessivas a uma camada atmosférica rarefeita, o que esteve quase a fazer terminar fatalmente a minha expedição e a minha vida.

Sofri um espasmo que durou mais de cinco minutos, e ainda depois deste terminar não podia respirar senão depois de longos intervalos e de uma maneira convulsiva, sangrando muito pelo nariz, pelos ouvidos, e até, um pouco, pelos olhos. As pombas pareciam angustiadas e debatiam-se, tentando fugir, enquanto a gata miava lamentosamente, tremendo, retorcendo-se como sob a influência de um veneno poderoso.

Dei conta da imprudência que cometera atirando fora aqueles 6 quilos de lastro. Esperando a morte, o enorme sofrimento físico contribuía para inutilizar qualquer esforço para salvar a vida.

Tinha perdido a faculdade de refletir, e a violenta dor de cabeça aumentava de minuto a minuto.

Assim, descobri que meus sentidos em breve cederiam por completo, e eu já tinha agarrado um dos cabos da válvula com a intenção de tentar uma descida, quando lembrei-me do que tinha feito aos meus três credores, e o temor das consequências que poderiam resultar do meu regresso. Deitei no fundo do cesto, esforcei-me para reunir minhas faculdades e lembrei-me de fazer a mim próprio uma sangria. Mas, como não tinha lanceta, vi-me obrigado a abrir uma das veias do braço esquerdo com uma navalha. Mal tinha começado a correr, o sangue come-

cei a experimentar grande alívio, e, vertida uma regular porção, desapareceram quase por completo os perigosos sintomas.

Não me parecia, no entanto, prudente ficar de pé; assim, pois, amarrei o braço o melhor que pude e permaneci imóvel um quarto de hora, aproximadamente. Ao cabo desse tempo, levantei-me e sentei-me quase livre de todo o mal.

Mas a dificuldade de respiração não diminuíra, e compreendi a urgência de utilizar o condensador.

Notei que, comodamente instalada sobre o meu casaco, a gata considerara oportuno, durante a minha indisposição, dar à luz cinco gatinhos. Claro que eu não podia esperar esse suplemento de passageiros; mas no meio da minha aventura, tal acontecimento me deixou feliz. Isso me daria a chance de levar a uma espécie de teste a verdade de uma hipótese que, mais do que qualquer outra coisa, havia me influenciado na tentativa de ascensão. Eu tinha imaginado que a resistência habitual à pressão atmosférica na superfície da Terra era a causa, ou quase isso, da dor que acompanhava a existência animal à distância acima da superfície.

Se os gatinhos sentissem o mal-estar no mesmo grau que a mãe, era falsa a minha teoria; mas, em caso contrário, confirmaria que eu tinha razão.

Às oito horas tinha alcançado uma altura de 27 quilômetros. Portanto, pareceu-me evidente não só que aumentaria a minha velocidade ascensional, mas também que esse acréscimo não era menos sensível embora não tivesse jogado o lastro fora. As dores violentas de cabeça e de ouvidos voltavam de novo, a intervalos, e de quando em quando as hemorragias nasais. Mas apesar de tudo, sofria muito menos que antes, apesar da dificuldade respiratória e dos movimentos espasmódicos que se sucediam a cada inspiração. Então, preparei o aparelho condensador para poder fazê-lo funcionar imediatamente.

Durante esse período da minha ascensão, o aspecto da terra era realmente deslumbrante. Para oeste, para o norte, para o sul, até aos limites que a minha vista dominava, o mar estendia-se até longe, imóvel na aparência, tomando às vezes uma tonalidade azul mais profunda. Para leste estendiam-se bem distintamente as Ilhas Britânicas; as costas ocidentais da França e da Espanha e uma pequena parte do norte do continente africano. Era absolutamente impossível descobrir o menor vestígio de edificações e as mais importantes cidades da humanidade tinham desaparecido completamente da face da Terra. O que mais me assombrou no aspecto das coisas situadas por baixo de mim foi a aparente concavidade da superfície do globo. Eu esperava que a sua convexidade real se manifestasse cada vez mais à medida que a altura aumentasse. No entanto, alguns segundos de reflexão foram suficientes para compreender este contrassenso.

Uma linha traçada perpendicularmente do ponto em que eu me encontrava até a Terra formaria a perpendicular de um triângulo retângulo cuja base se es-

tendia em ângulo reto até ao horizonte, e a hipotenusa, do horizonte até ao ponto ocupado pelo meu balão. Mas a altura em que eu estava nada significava comparativamente à extensão abarcada pela minha vista. Ou seja, a base e a hipotenusa do suposto triângulo eram tão longas em relação à perpendicular que podiam considerar-se como duas linhas quase paralelas. Deste modo, o horizonte do aeronauta aparecia sempre ao nível do cesto; mas como o ponto situado imediatamente abaixo parecia e estava, com efeito, a uma enorme distância, era lógico também que o supusesse igualmente a uma enorme distância abaixo do horizonte. Daqui a impressão de concavidade; e esta impressão teria de durar até que a altura se encontrasse, relativamente à extensão da perspectiva, numa proporção igual, isto é, até que o aparente paralelismo da base e da hipotenusa desaparecessem.

Entretanto, como as pombas pareciam sofrer horrivelmente, resolvi pô-las em liberdade. Soltei primeiro uma delas, um soberbo exemplar cinzento, e coloquei ela na borda do cesto. Parecia extraordinariamente maldisposta: olhava em volta de si, batia as asas, mas não se atrevia a saltar do cesto. Então eu a joguei. Mas, em vez de descer, como eu supunha, fazia esforços desesperados para voltar ao balão, soltando ao mesmo tempo gritos agudíssimos. Conseguiu voltar à sua antiga posição na borda do cesto, mas, mal pousara nela as patinhas, inclinou a cabeça sobre o peito e caiu morta no fundo do balão.

A outra não teve sorte tão deplorável. Para evitar o exemplo da sua companheira e voltasse para o balão, precipitei-a para baixo com todas as minhas forças e vi então com alegria que continuava descendo a grande velocidade, utilizando as asas com facilidade e de uma maneira perfeitamente natural. Não tardou a desaparecer da minha vista e tenho a certeza de que chegou sã e salva a porto seguro.

Quanto à gata, que me parecia restabelecida da sua crise, regalava-se agora esplendidamente com a pomba morta e acabou por adormecer dando sinais de grande satisfação. Os gatinhos recém-nascidos não manifestavam o menor mal-estar.

Por volta das oito horas, não podendo respirar por mais tempo sem sentir uma dor insuportável, comecei a ajustar em volta do cesto o condensador. Este aparelho exige algumas explicações.

Vossas Excelências lembram de que o meu fim, ao encerrar-me por completo no fundo daquela atmosfera tão singularmente rarefeita, era desenvolver, com a ajuda do meu condensador, uma quantidade dessa mesma atmosfera suficiente para as necessidades respiratórias.

Eu tinha preparado um grande saco de borracha flexível e sólido, absolutamente impermeável, que formava uma espécie de invólucro dentro do qual entrava o cesto e cujos extremos passavam por cima das bordas, e subiam exteriormente ao longo das costas, até ao extremo do arco, colocado abaixo do balão.

Esse invólucro podia fechar-se hermeticamente por meio de uma espécie de nó colocado em volta do arco superior. Nos lados deste invólucro tinha adaptado três pedaços de cristal sólido, mas muito transparente, e através dos quais podia olhar, em volta de mim, para todas as direções. Na parte do invólucro que formava o fundo tinha uma quarta janela correspondente a uma pequena abertura praticada no fundo do cesto, e graças a ela podia ver também perpendicularmente.

Abaixo de uma das janelas laterais havia uma abertura circular com um rebordo adaptável à espiral de um parafuso. Neste rebordo parafusava-se um largo tubo do condensador e, fazendo o vácuo no corpo da máquina, atraía-se a este tubo uma certa quantidade de ar rarefeito, que por sua vez era devolvido em estado de condensação e misturado ao ar tênue contido dentro da câmara. Repetida, várias vezes, esta operação renovava a atmosfera o suficiente para as necessidades respiratórias. Mas, dada a exiguidade do espaço em que eu me movia, claro está que em pouco tempo o ar se viciaria fatalmente para a vida com o seu contínuo contato com os pulmões. Este perigo desapareceria por meio de uma válvula de escape colocada no fundo do cesto, e que, aberta alguns segundos, deixaria expulsar uma quantidade de atmosfera viciada equivalente à que deixava entrar, ao mesmo tempo, a bomba do aparelho condensador. Para experimentar as condições atmosféricas do ar livre, dependurei a gata e os filhotes de um cesto preso ao cesto por um puxador colocado perto da válvula e através da qual podia dar comida quando necessitassem.

Quando terminei todos estes preparativos e enchi a câmara de ar condensado eram nove horas. Durante estas operações sofri com a dificuldade de respirar e arrependi-me amargamente da negligência, ou da talvez fatal imprudência, que me fizera deixar para o último momento um assunto de tanta importância. Mas demorei sentir os benefícios da minha invenção. Respirei de novo tranquilamente e fui surpreendido pelo desaparecimento das dores sofridas. Só restou um ligeiro mal-estar de cabeça, acompanhado de uma sensação de plenitude ou de distensão nos punhos, nas canelas e na garganta.

Às nove horas e quinze, quer dizer, pouco depois de ter fechado a câmara, o mercúrio alcançou o seu limite extremo e caiu na celha do barômetro, que, conforme disse anteriormente, era muito grande. Marcava então uma altura de 40 quilômetros. Às nove e meia perdi novamente de vista a Terra para o lado leste, mas não antes de observar que o balão derivava rapidamente na direção nordeste. O oceano continuava abaixo de mim a sua superfície côncava, mas era visto com dificuldade por causa de várias e flutuantes massas de nuvens.

Às nove e cinquenta fiz a experiência das penas e atirei um punhado delas através da válvula. Não se deslocaram como eu supunha, mas caíram perpendicularmente em massa e com tal velocidade que as perdi de vista alguns segundos.

Surpreendeu-me este extraordinário fenômeno. Não podia acreditar que a minha velocidade ascensional fosse tão súbita e rapidamente acelerada. Mas pensei também que a atmosfera estava demasiado rarefeita para sustentar sequer uma pena e que a rapidez da sua descida correspondia à combinação das duas velocidades: a delas ao cair e a do balão subindo.

Às dez reparei que não tinha nada a fazer. Eu estava convencido de que o balão subia com incessante e crescente velocidade, embora não tivesse nenhum processo para o verificar.

Não sentia dor nem mal-estar de qualquer espécie, e até desfrutava de um bem-estar desconhecido desde que saíra de Roterdã. Entretinha-me a experimentar o estado de todos os instrumentos e a renovar, de vez em quando, a atmosfera da câmara. No que se refere a este último ponto, resolvi fazê-lo a cada quarenta minutos, mais para garantir por completo a minha saúde que por uma necessidade.

Essas tarefas não me impediam, por pouco que fosse, de sonhar e especular. Pensava nas estranhas e quiméricas regiões lunares. A imaginação, livre por fim de os obstáculos, vagueava a seu gosto por entre as múltiplas maravilhas de um planeta tenebroso e variado. Tão depressa eram bosques emaranhados e veneráveis como rochosos precipícios e cascatas estrondosas precipitando-se em abismos; tão depressa chegava a calmas solidões inundadas por um sol de meio-dia, onde não penetravam os ventos celestiais, como via estender-se vastos prados verdejantes cheios de flores, cobertos pelo silêncio e eternamente imóveis. Em outros momentos parecia-me viajar longe, muito longe, e adentrar em um lugar que não era mais do que um tenebroso lago ladeado por uma fronteira de nuvens. Mas nem só essas imagens se apoderaram da minha mente. O meu espírito também procurava uma série de horrores, da mais terrível natureza, e cuja simples possibilidade sacudia as mais irrisórias profundidades da minha alma.

Às cinco da tarde, ao renovar a atmosfera da câmara, aproveitei a oportunidade para observar a gata e os filhos através da válvula.

A gata pareceu sofrer novamente, e não hesitei em atribuir sua inquietação principalmente a uma dificuldade em respirar; mas minha experiência com os gatinhos resultou muito estranha. Eu esperava vê-los sofrendo, embora em menor grau do que a mãe, e isso teria sido suficiente para confirmar minha opinião sobre a resistência habitual à pressão atmosférica. Longe disso; vi que desfrutavam de perfeita saúde e que respiravam com toda a liberdade. Isto confirmava de um modo amplo a minha teoria, que uma atmosfera quimicamente insuficiente para as funções vitais de um ser nascido fora dela não produzia o menor incômodo ao que estivesse no caso contrário, como sucedia aos gatinhos.

Infelizmente eu não poderia comprovar novamente o triunfo da minha teoria, porque, ao passar a mão, através da válvula, com uma taça cheia de água para a gata, prendi a manga da camisa na anilha que sustentava o cesto e soltei-o do balão em que estava pendurado. Evaporado no ar, o cesto com os seus habitantes não teria desaparecido da minha vista de forma mais súbita.

Não devia ter passado nem sequer a décima parte de um segundo entre o ato de soltar-se e o desaparecimento. Desejei-lhes boa viagem, embora, como é natural, não acreditasse que a bicharada e os filhotes pudessem sobreviver para contar a sua odisseia.

Às seis horas observei que uma grande parte da superfície da Terra visível para leste se fundia numa sombra espessa que avançava incessante e rapidamente; por fim, às seis e cinquenta, toda a superfície ficou envolvida pelas trevas da noite. Alguns instantes depois, os raios do sol poente deixaram de iluminar o balão e esta situação, por ser inesperada, causou-me um enorme prazer. Era evidente que pela manhã contemplaria a saída do astro luminoso muitas horas antes dos cidadãos de Roterdã, embora eles estivessem muito mais para leste do que eu. Cada dia estava mais alto na atmosfera, portanto desfrutaria da luz solar por um período de tempo cada vez mais longo.

Decidi, então, escrever um diário da viagem, contando os dias de vinte e quatro horas consecutivas sem ter em conta os intervalos de trevas. Às dez, fiquei com sono, resolvi deitar-me; mas então senti uma dificuldade que, apesar de ser muito lógica, não me tinha ocorrido até então. Se eu dormisse, como renovaria o ar da câmara durante a noite? Respirar essa atmosfera mais de uma hora era absolutamente impossível, e se se prolongasse esta situação um quarto de hora mais as consequências não seriam deploráveis, mas fatais.

Este receio, no entanto, não me preocupou muito tempo. O homem é escravo dos hábitos e a rotina faz com que considere essencialmente importante para a sua existência uma série de necessidades que na realidade não são. Claro está que eu não podia deixar de dormir; mas, em compensação, podia facilmente acostumar-me a despertar de hora a hora durante todo o tempo durante o repouso. Bastavam cinco minutos para renovar completamente o ar. A única dificuldade real consistia em inventar um processo para despertar no momento preciso.

Conhecia o caso daquele estudante que, para evitar adormecer sobre os livros, tinha na mão direita uma bola de cobre, cuja queda num recipiente do mesmo metal, posto ao lado da cadeira, servia para o despertar apenas se se deixasse vencer pelo sono. O meu caso era bastante diferente do seu, porque eu não desejava ficar acordado mas despertar a intervalos regulares.

Desta maneira ocorreu-me a seguinte combinação que, por mais simples que pareça, considerei, no momento em que a descobri, de uma importância só comparável às invenções do telescópio, da máquina a vapor e até da imprensa.

É preciso não esquecer que o balão, à altura a que tinha chegado, continuava subindo em linha reta com perfeita regularidade, e que, consequentemente, o cesto seguia sem sofrer a mais ligeira oscilação. Esta circunstância favoreceu o meu plano. A provisão de água ia em barris de cinco galões cada um, solidamente presos ao interior do cesto.

Separei um desses barris, e, agarrando nas cordas, prendi-as fortemente de um extremo ao outro da borda do cesto. Deste modo formavam uma espécie de suporte ou assento, sobre o qual coloquei o barril, obrigando-o a conservar uma posição horizontal. A vinte centímetros aproximadamente abaixo dessas cordas, e a 1,2 metro do fundo do cesto, pus uma madeira e, por cima desta, justamente por baixo do barril, coloquei uma panela de barro. Fiz então um buraco no fundo do barril, por cima da panela, e pus uma estilha de forma cônica no buraco, metendo-a e tirando-a até que se adaptou o suficiente para que a água, ao filtrar-se pela ranhura e ao cair na panela, a enchesse até à borda num espaço de sessenta minutos.

Conseguido isto, já se adivinha o resto. Como a cama estava situada no fundo do cesto e a minha cabeça ficava imediatamente por baixo da panela, era evidente que esta, ao transbordar, ao fim de uma hora, a água cairia na minha cara, do que resultaria eu acordar instantaneamente, embora estivesse no mais profundo dos sonos.

Cerca das onze horas, terminei a instalação e deitei-me logo, cheio de confiança na eficácia do meu invento. Todos os sessenta minutos era pontualmente despertado pelo meu fiel cronômetro. Esvaziava então o conteúdo da panela na abertura superior do barril, fazia funcionar o condensador e dormia outra vez. Estas interrupções regulares no sono causaram-me muito menos fadiga do que eu esperava, e quando, por fim, me levantei, para já não me deitar; eram sete da manhã e o sol atingia já alguns graus por cima da linha do meu horizonte.

3 de abril — O balão chegou a uma imensa altura e a convexidade da Terra manifestava-se de maneira surpreendente. Abaixo de mim, no oceano, havia um aglomerado de manchas pretas, que sem dúvida eram ilhas. Bem longe, ao norte, percebi uma linha ou faixa fina, branca e extremamente brilhante, na borda do horizonte, e não hesitei em supor que fosse o disco meridional dos gelos do Mar Polar.

Fiquei surpreendido porque supunha ter avançado muito mais para o norte e estava possivelmente por cima do próprio polo.

Lamentei que minha grande elevação impediria, neste caso, de fazer um levantamento tão preciso quanto eu poderia desejar. Entretanto, pôde ser verificado. Nada mais de extraordinário aconteceu durante o dia. Meu aparelho continuou em bom estado, e o balão subiu sem qualquer vacilação perceptível. O frio era intenso e obrigou-me a embrulhar-me bem num sobretudo. Quando a escuridão caiu sobre a terra, eu me dirigi para a cama, embora fosse por muitas horas em *plena luz do dia em torno de minha situação imediata. O relógio de água foi pontual em seu serviço e dormi profundamente até a manhã seguinte, com exceção da interrupção periódica.*

4 de abril — *Levantei-me em bom estado de saúde e de excelente humor. Fiquei surpreso com a mudança singular que ocorrera na aparência do mar. Tinha perdido, em grande medida, o tom profundo de azul, sendo agora de um branco acinzentado, e de um brilho deslumbrante para os olhos. As ilhas não eram mais visíveis; se elas haviam descido no horizonte a sudeste, ou se minha elevação crescente os deixara fora de vista, é impossível dizer. Eu estava inclinado, entretanto, para a última opinião. A borda de gelo ao norte estava ficando cada vez mais aparente. O frio não era tão intenso. Nada de importante aconteceu, e passei o dia lendo, porque não me esqueci de fazer uma provisão de livros.*

5 de abril — *Contemplei o singular fenômeno do nascimento do sol, ao mesmo tempo que toda a superfície visível da Terra permanecia coberta de trevas.*
Com o tempo, porém, a luz se espalhou por tudo e novamente vi a linha de gelo ao norte. Agora era muito distinto e parecia de uma tonalidade muito mais escura do que as águas do oceano. Eu estava evidentemente me aproximando, e com grande rapidez. Imaginei que pudesse distinguir novamente uma faixa de terra a leste e outra também a oeste, mas não tinha certeza. Tempo moderado. Nada de importante aconteceu durante o dia. Fui dormir cedo.

6 de abril — *Fiquei surpreso ao ver a faixa de gelo bastante próxima, e é evidente que, se o balão conservar a sua direção, não tardarei a passar por cima do oceano boreal e do polo. Durante todo o dia continuei me aproximando do gelo. Ao anoitecer os limites do meu horizonte aumentaram repentinamente e materialmente, devido, sem dúvida, à forma da Terra ser a de um esferoide achatado e à minha chegada acima das regiões achatadas nas proximidades do círculo ártico. Quando finalmente a escuridão me atingiu, fui para a cama ansioso, temendo passar por cima do objeto de tanta curiosidade quando não tivesse oportunidade de observá-lo.*

7 de abril — *Acordei muito cedo e, encantado, contemplei o que não hesito em considerar o polo Norte. Estava, sem dúvida, imediatamente sob meus pés; mas, infelizmente eu já havia ascendido a uma distância tão vasta, que nada poderia ser discernido com precisão. Na verdade, a julgar pela progressão dos números que indicam minhas várias altitudes, respectivamente, em diferentes períodos, entre as seis da manhã do dia 2 de abril e vinte minutos antes das nove da manhã do mesmo dia (momento em que o barômetro diminuiu), pode-se inferir com certeza que o balão tinha agora, às quatro horas da manhã de 7 de abril, atingido uma altura não inferior, certamente, a 11674 quilômetros acima da superfície do mar.*

Talvez pareça enorme essa elevação, mas, se se tiver em conta aquilo sobre que se baseia, veremos que se trata de um resultado bastante inferior à realidade. De qualquer forma, tinha incontestavelmente debaixo de mim a totalidade do maior diâmetro terrestre. Todo o hemisfério norte se estendia a meus pés como um mapa e o grande círculo do Equador formava a linha fronteiriça do meu horizonte.

Aquelas regiões inexploradas até agora, e confinadas nos limites do círculo ártico, estavam muito longe de mim para um exame mais minucioso.

Apesar disso desfrutava de um espetáculo cheio de interesse. Nas bordas desse imenso limite da exploração humana existe quase sem interrupção, uma planície de gelo.

Na sua orla, a superfície deste mar de gelo mergulha sensivelmente; depois parece plana, para se tornar côncava, e por fim termina no próprio Polo numa cavidade central circular, cujas bordas claramente definidas e cujo diâmetro aparente formavam, em relação ao balão, um ângulo de seis segundos.

Quanto à cor, era de um negro de intensidade diferente, mas mais sombria que a de qualquer outro ponto do hemisfério visível, e chegando quase ao negro absoluto.

Ao meio-dia, a circunferência deste buraco central tornou-se sensivelmente menor e, às sete da tarde, perdi-a completamente de vista. O balão cruzava então a parte oeste dos céus e fugia rapidamente em direção ao Equador.

8 de abril — Constatou-se uma sensível diminuição no diâmetro aparente da Terra, além de uma alteração material em sua cor e aparência geral. Toda a área visível compartilhava em diferentes graus de uma tonalidade de amarelo pálido e, em algumas partes, adquirira um brilho até doloroso para os olhos. Minha visão para baixo também foi consideravelmente dificultada pela densa atmosfera nas vizinhanças da superfície sendo carregada com nuvens, entre cujas massas eu só podia de vez em quando obter um vislumbre da própria Terra. Essa dificuldade de visão direta me incomodou mais ou menos nas últimas quarenta e oito horas; mas minha enorme elevação atual aproximou os corpos flutuantes de vapor, e a inconveniência tornou-se, é claro, cada vez mais palpável em proporção à minha subida. No entanto, posso perceber que o balão pairava por cima dos grandes lagos da América do Norte, mas dirigindo-se para o sul, ou seja para os trópicos.

Essa circunstância não deixou de me dar a mais profunda satisfação, e eu interpretei como um feliz presságio de sucesso final. Na verdade, a direção que eu havia seguido até então me enchia de inquietação; pois era evidente que, se eu tivesse continuado por muito mais tempo, não teria havido nenhuma possibilida-

de de minha chegada à lua, cuja órbita está inclinada para a eclíptica apenas no pequeno ângulo de 5° 8' 48".

Por estranho que possa parecer, só então compreendi o grande erro cometido não efetuando a minha partida de outro ponto terrestre situado no plano da elipse lunar.

9 de abril — Hoje, o diâmetro da terra diminuiu enormemente e a sua superfície adquiriu, de hora a hora, um tom amarelo cada vez mais profundo. O balão fugiu direto para o sul e chegou, às nove horas da noite, por cima da costa norte do Golfo do México.

10 de abril — Fui despertado cerca das cinco da manhã por um estrondo terrível, cuja origem não pude descobrir. Foi de curta duração, mas nenhum ruído terrestre pode dar ideia da sua intensidade. Inútil dizer que me alarmei excessivamente, porque a princípio pensei que fosse um rasgão no balão. Examinei-o cuidadosamente, sem encontrar nenhuma avaria. Passei a maior parte do dia refletindo sobre um acidente tão extraordinário sem encontrar explicação. Por fim, deitei-me num estado de aflição extraordinária.

11 de abril — Notei uma diminuição sensível no diâmetro aparente da Terra, e um aumento considerável, agora observável pela primeira vez, no da própria lua, que teria apenas alguns dias para ficar cheia. Agora, era necessário um longo e excessivo trabalho para condensar dentro da câmara ar atmosférico suficiente para o sustento da vida.

12 de abril — Singular mudança na direção do balão, que nem por ser inesperada me causou menos prazer. Cheguei ao paralelo vinte de latitude sul e o balão voltou bruscamente para leste em ângulo agudo e segue esta direção durante todo o dia, sustentando-se no plano exato da elipse lunar.

É digno de observar que essa mudança de direção causou uma oscilação muito sensível, oscilação que durou muitas horas com maior ou menor intensidade.

13 de abril — Tornou a alarmar-me a repetição daquele espantoso ruído que me assustou no dia 10. Voltei também a refletir sobre ele, sem chegar a uma solução satisfatória. Maior decrescimento do diâmetro terrestre. Quanto à Lua, é impossível vê-la porque permanece sobre mim. Marcho sempre no mesmo plano elíptico, mas progrido pouco para leste.

14 de abril — Diminuição excessivamente rápida do diâmetro terrestre. Hoje fiquei fortemente impressionado com a ideia de que o balão estava agora subindo *pela linha das absides até o ponto do perigeu, em outras palavras, mantendo o curso direto que o traria imediatamente para a lua naquela parte de seu orbite o mais próximo da terra. A própria lua estava diretamente acima e, consequentemente, escondida da minha vista. Continua o penoso trabalho indispensável para a condensação do ar atmosférico.*

15 de abril — Já não posso sequer distinguir sobre o planeta os contornos dos continentes e dos mares. Cerca do meio-dia, surpreende-me pela terceira vez o pavoroso barulho. No entanto, desta vez durou mais tempo que das anteriores e com maior intensidade. E quando, já estupefato, quase enlouquecido de terror, esperava não sei que horrível destruição, o cesto oscilou com muita violência, e uma massa ígnea, cuja matéria não tive tempo de distinguir, passou ao lado do balão, gigantesca e inflamada, rugindo com a voz de mil trovões.

Quando o meu terror diminuiu um pouco, pensei ser um enorme fragmento vulcânico lançado por esse mundo de que me aproximo, e segundo todas as probabilidades um pedaço de uma dessas substâncias singulares que algumas vezes caem sobre a terra e que se chama aerólitos, à falta de outro nome melhor.

16 de abril — Olhando hoje para cima o melhor que pude, por cada uma das janelas laterais, alternativamente, vi com grande satisfação uma pequeníssima parte do disco lunar que sobressaía da ampla circunferência do balão. Estava agitado, porque agora estava certo de que chegaria depressa ao fim da minha perigosa viagem.

O trabalho exigido pelo condensador aumentara a ponto de ser uma verdadeira obsessão, e não me deixava descanso algum. Já não me preocupava em dormir; estava realmente doente e esgotado. A natureza humana não pode suportar longo tempo uma tal intensidade de dor como a que eu sofria.

Novamente cruzou comigo, quase roçando o balão, outra pedra meteórica. A frequência destes fenômenos começa a intrigar-me.

17 de abril — Esta manhã ficará marcada na minha viagem.
Recordarão Vossas Excelências que no dia 13 a terra formava comigo um ângulo de 25 graus. No dia 14 este ângulo tinha diminuído consideravelmente; no dia 15 observei uma diminuição ainda mais rápida e, no dia 16, antes de me deitar, notei que o ângulo tinha diminuído para 7 graus e 15 minutos. Compreenderão perfeitamente o meu espanto quando, ao despertar, nessa manhã do dia 17, depois de um sono curto e penoso, notei que a superfície planetária colocada por baixo de mim tinha aumentado súbita e espantosamente de volume e que o seu diâmetro aparente formava um ângulo não inferior a 39 graus.

Eu fiquei estupefato! Nenhuma palavra pode dar uma ideia adequada da aflição, do horror e do espanto; eu estava possuído e totalmente oprimido. Meus joelhos cambalearam meus dentes batiam, meu cabelo começou a se arrepiar. O balão estourou! Estas foram as primeiras ideias tumultuadas que me correram pela mente: O balão tinha estourado! Eu estava caindo em uma velocidade incomparável! A julgar pela imensa distância tão rapidamente percorrida, não demoraria mais de dez minutos, no máximo, antes que eu encontrasse a superfície da terra e fosse lançado na aniquilação! Mas, por fim, a reflexão tranquilizou-me. Era impossível, fosse como fosse, uma descida tão rápida. Além disso, embora me aproximasse evidentemente da superfície terrestre, a minha velocidade real não estava de forma alguma em relação com a velocidade espantosa que imaginara a princípio.

Já tranquilo, procurei encarar o fenômeno sob o seu verdadeiro ponto de vista. Somente o espanto excessivo que me acometeu nos primeiros momentos pôde privar-me do exercício dos meus sentidos a ponto de não ver a enorme diferença entre o aspecto da superfície colocada debaixo de mim e a do meu planeta natal.

O último estava de fato sobre minha cabeça e completamente escondido pelo balão, enquanto a lua, a própria lua em toda a sua glória, estava abaixo de mim e a meus pés.

O assombro produzido por esta extraordinária modificação na situação era muito mais lógico e explicável que o espanto anterior.

No entanto era uma consequência natural, visto que eu tinha chegado ao ponto exato em que a atração do planeta terrestre era substituída pela atração do satélite.

Em resumo: ao ponto em que a gravitação do balão em relação à Terra era menos poderosa em relação à Lua. É verdade também que saía de um sono profundo, que tinha os sentidos ainda embotados e que me encontrei subitamente na presença de um fenômeno previsto de antemão, mas não naquele momento.

É inútil dizer que, livre já do terror, do assombro e, por fim, da reflexão que se seguiu a isso, dediquei toda a minha atenção a contemplar o aspecto geral da Lua. Estendia-se como um mapa, e, embora ainda estivesse a uma distância bastante considerável, as asperezas da sua superfície apareciam ante os meus olhos com total nitidez. O que mais me chocou desde o primeiro momento, como característica mais extraordinária da sua condição geológica, foi a ausência completa de oceanos e mesmo de qualquer lago ou rio.

Via enormes regiões planas, com terrenos de aluvião, embora a maior parte do hemisfério visível estivesse coberta de grande número de montanhas vulcânicas, de forma cônica, que pareciam mais obra do homem que da natureza.

A mais alta não teria mais do que 5 quilômetros. Um simples mapa das regiões vulcânicas de Campi Phlegroei dará a Vossas Excelências melhor ideia dessa superfície geral que qualquer descrição, sempre insuficiente, feita por mim.

A maior dessas montanhas estava em evidente estado eruptivo e dava uma ideia terrível da sua poderosa fúria com as explosões cada vez mais numerosas das pedras impropriamente chamadas meteóricas, que partiam agora de baixo e passavam ao lado do balão com uma frequência cada vez mais assustadora.

18 de abril — *Hoje descobri um enorme aumento no volume aparente da lua e a velocidade evidentemente acelerada de minha descida começou a me deixar alarmado. Lembre-se que, no estágio inicial de minhas especulações sobre a possibilidade de uma passagem para a lua, a existência, em sua vizinhança, de uma atmosfera, densa em proporção à maior parte do planeta, havia entrado em grande parte em meus cálculos; isso também, apesar de muitas teorias em contrário, e, pode-se acrescentar, apesar de uma descrença geral na existência de qualquer atmosfera lunar. Mas, além do que já havia insistido em relação ao cometa de Encke e à luz zodiacal, havia sido fortalecido em minha opinião por certas observações do Sr. Schroeter, de Lilienthal.*

Contava, portanto, com a resistência de uma atmosfera existente em um estado de densidade hipotética para efetuar uma descida tranquila. Além de tudo, se as minhas hipóteses fossem absurdas já não tinha outro remédio senão ser pulverizado contra a superfície do satélite. Infelizmente, o receio desta última hipótese aumentava.

A distância que me separava da lua era relativamente pequena, enquanto que os esforços exigidos para condensar o ar, longe de diminuir, se tornavam cada vez maiores.

19 de abril — *Esta manhã, para minha grande satisfação, por volta das nove horas, a superfície da lua parecia muito próxima e minhas apreensões excitadas ao máximo, a bomba do meu condensador finalmente deu sinais evidentes de uma alteração na atmosfera. Por volta das dez, eu tinha motivos para acreditar que sua densidade aumentou consideravelmente. Às onze, muito pouco trabalho era necessário no aparelho; e às 12 horas, com alguma hesitação, ousei desatarraxar o torniquete, quando, não achando inconveniente em fazê-lo, finalmente abri a câmara de goma elástica e a desenrosquei do cesto. Como era de se esperar, espasmos e violentas dores de cabeça foram as consequências imediatas de um experimento tão precipitado e cheio de perigos.*

Mas como estes inconvenientes e outros relativos à respiração já não eram bastante grandes para atacar a vida, resignei-me a suportá-los, tanto mais que iriam desaparecendo progressivamente à medida que se aproximava das camadas mais densas da atmosfera lunar.

Mas esta aproximação efetuava-se com intensidade e não demorei em ter a prova, que muito me alarmou, de que naturalmente não tinha me enganado, contando com uma densidade proporcional ao volume do satélite.

Estava enganado, no entanto, ao supor que essa densidade, mesmo na superfície, bastaria para suportar o enorme peso contido no cesto do balão.

Entretanto, a descida aumentava de velocidade. Não havia tempo a perder. Atirei fora todo o lastro, depois os barris de água, depois o aparelho condensador e o invólucro de borracha e, por fim, todos os objetos que havia no cesto.

Mas foi tudo em vão. Eu ainda caí com uma rapidez horrível e agora não estava a mais um quilômetro da superfície. Como último recurso, portanto, tendo me livrado de meu casaco, chapéu e botas, soltei do balão o próprio cesto, que não tinha peso desprezível, e assim, agarrando-me com as duas mãos à rede, mal tive tempo de observar que todo o país, até onde a vista alcançava, estava densamente entremeado com habitações diminutas, antes de cair de cabeça no centro de uma cidade de aparência fantástica, e no meio de uma multidão de gente feia, e nenhum deles pronunciava uma única sílaba, ou se dava ao mínimo trabalho para me ajudar, mas ficava, como um bando de idiotas, sorrindo de maneira ridícula e olhando para mim e para o meu balão. Desviei-me deles com desprezo e, olhando para a Terra que acabava de abandonar, talvez para sempre, vi-a sob a forma de um largo e sombrio escudo de cobre com um diâmetro de 2 graus aproximadamente, fixo e imóvel no céu, e orlado numa das bordas por uma meia lua cintilante e dourada. Não pude ver qualquer vestígio marítimo ou continental. Só via diversas manchas inumeráveis que a atravessavam nas zonas equatorial e tropicais.

Após uma longa série de angústias, de diferentes perigos, chegara são e salvo, após dezenove dias de saída de Roterdã, ao fim da viagem mais extraordinária, mais importante empreendida ou até imaginada por qualquer outro cidadão do nosso planeta.

Vossas Excelências já compreenderam que, depois de residir cinco anos sobre um planeta bastante interessante por si mesmo, e que o é ainda mais pelo seu íntimo parentesco, na qualidade de satélite, com o mundo habitado pelo homem, estou em condições de entabular com o Colégio Astronômico Nacional uma correspondência secreta muito mais importante que os simples pormenores, por muito importantes que sejam, desta viagem feliz. Isso é, de fato, o que aconteceu.

Tenho muito a dizer sobre o clima do planeta; de suas maravilhosas alternâncias de calor e frio, de sol intenso e ardente por uma quinzena, e mais do que a frigidez polar; de uma transferência constante de umidade, por destilação como aquela no vácuo, do ponto abaixo do sol até o ponto mais distante dele; de uma zona variável de água corrente, dos próprios habitantes; de seus modos, costumes e instituições políticas; de sua construção física peculiar; de sua feiura; de sua falta de ouvidos, aqueles apêndices inúteis em uma atmos-

fera tão singularmente modificada; de sua consequente ignorância do uso e propriedades da fala; de seu substituto para a fala em um método singular de comunicação; da conexão incompreensível entre cada indivíduo particular na lua com algum indivíduo particular na Terra, uma conexão análoga com, e dependendo, das órbitas do planeta e dos satélites, e por meio da qual as vidas e destinos dos os habitantes de um estão entrelaçados com as vidas e destinos dos habitantes de outro; e acima de tudo, se assim for do agrado de Vossas Excelências, acima de tudo, daqueles mistérios sombrios e hediondos que residem nas regiões exteriores da lua, regiões que, devido à quase milagrosa concordância da rotação do satélite sobre o seu próprio eixo com a sua sideral revolução sobre a terra, nunca foi mudada, e, pela misericórdia de Deus, nunca será mudada, com a investigação dos telescópios do homem. Tudo isso e muito mais eu detalharia com prazer. Mas, para ser breve, devo ter minha recompensa. Estou ansiando por um retorno à minha família e à minha casa, e como o preço de qualquer comunicação posterior de minha parte em consideração à luz que tenho em meu poder de lançar sobre muitos ramos muito importantes da ciência física e metafísica. Devo solicitar, por influência de seu ilustre corpo, o perdão pelo crime de que fui culpado na morte dos credores após minha partida de Roterdã. Este, então, é o objeto do presente artigo. Seu portador, um habitante da lua, a quem eu prevaleci, e devidamente instruído, para ser meu mensageiro para a terra, aguardará o prazer de Vossas Excelências e retornará para mim com o perdão em questão, se puder.

Tenho a honra de ser, o muito humilde servidor de Vossas Excelências,
Hans Pfaall

Ao terminar a leitura deste documento extraordinário, o professor Rudabub, dizem, deixou cair seu cachimbo no chão por causa da sua surpresa, e Mynheer Superbus Von Underduk tendo tirado seus óculos, enxugando-os e guardando eles em seu bolso, e se esqueceu de si mesmo e de sua dignidade, a ponto de girar três vezes sobre os calcanhares de espanto e admiração. Não havia dúvida sobre o assunto, o perdão deveria ser obtido. Então, pelo menos, jurou, o Professor Rudabub, e assim finalmente pensou que o ilustre Von Underduk, ao segurar o braço de seu companheiro na ciência, começou a ponderar sobre as medidas a serem tomadas. Tendo alcançado a porta, no entanto, da residência do mestre burgo, o professor aventurou-se a sugerir que, como o mensageiro havia julgado apropriado desaparecer, sem dúvida morrendo de medo da aparência selvagem dos burgueses de Roterdã, o perdão seria de pouca utilidade, já que ninguém além de um homem da lua faria uma viagem a uma distância tão vasta. O mestre burgo concordou com a verdade dessa observação e, portanto,

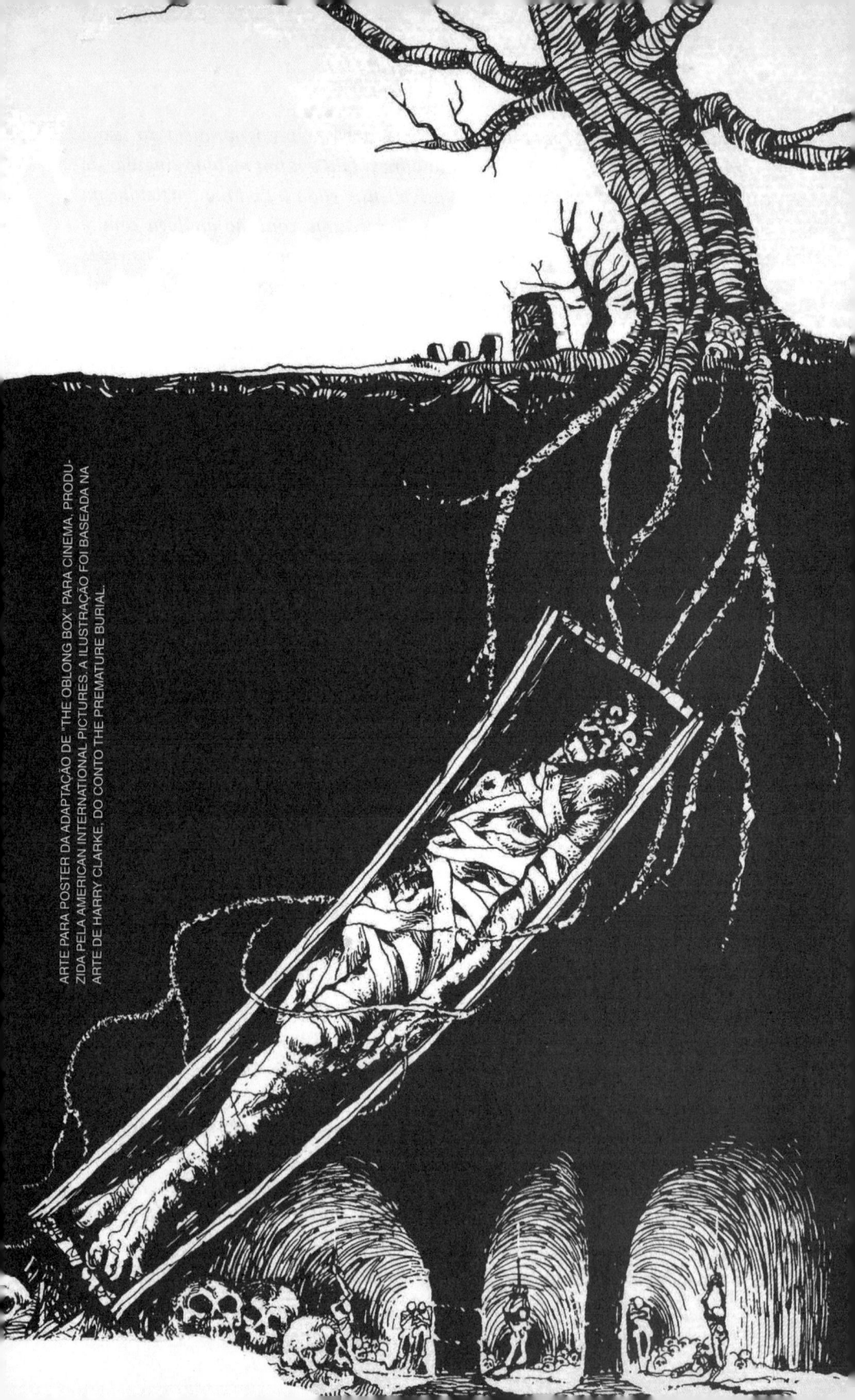

ARTE PARA POSTER DA ADAPTAÇÃO DE "THE OBLONG BOX" PARA CINEMA, PRODUZIDA PELA AMERICAN INTERNATIONAL PICTURES. A ILUSTRAÇÃO FOI BASEADA NA ARTE DE HARRY CLARKE, DO CONTO THE PREMATURE BURIAL.

o assunto estava encerrado. Sem rumores e especulações. A carta, tendo sido publicada, deu origem a vários mexericos e opiniões. Alguns dos mais sábios até se tornaram ridículos ao criticar todo o assunto; como nada melhor do que uma farsa. Mas boato, com esse tipo de pessoa, é, creio eu, um termo geral para todos os assuntos acima de sua compreensão. De minha parte, não posso conceber em que dados eles fundamentaram tal acusação. Vamos ver o que eles dizem:

Primeiro — Que certos brincalhões de Roterdã sentem uma antipatia especial pelo mestre burgo e pelos astrônomos.

Segundo — Que um estranho anãozinho, cujo ofício é o de ilusionista, e cujas orelhas tinham sido cortadas pela raiz por alguma má ação, desaparecera, havia algum tempo, da cidade de Bruges, próximo de Roterdã.

Terceiro — Que os jornais colados em volta do balão eram holandeses e, portanto, não podiam ser fabricados na Lua. Estavam muito sujos e gordurosos — sobretudo gordurosos — mas Gluck, o impressor, podia jurar sobre a Bíblia que tinham sido impressos em Roterdã.

Quarto — Que o próprio Hans Pfaall, o bêbado, e os três vagabundos a quem chamavam seus credores, tinham sido vistos juntos, dois ou três dias antes, numa taberna de má fama, com as bolsas cheias de dinheiro, que, segundo diziam, ganharam numa expedição ao outro lado do mar.

E em último lugar, o que é uma opinião geralmente reconhecida, que o Colégio Astronômico de Roterdã, para não mencionar as faculdades e astrônomos em geral, não sabe absolutamente nada do que é necessário.

O CAIXÃO QUADRANGULAR

The Oblong Box, 1844

Há alguns anos, segui viagem de Charleston, Carolina do Sul, para a cidade de Nova York, no excelente navio Independência, do Capitão Hardy. Devíamos viajar no dia 15 do mês de junho, se o tempo permitisse; e, no dia 14, fui a bordo para arranjar alguns detalhes em meu camarote.

Achei que íamos ter muitos passageiros, inclusive um número maior de senhoras do que o habitual. Da lista constavam alguns conhecidos meus, e, entre outros nomes, alegrei-me por ver o Sr. Cornélio Wyatt, jovem artista por quem tinha sentimentos de calorosa amizade.

Fora meu companheiro de estudos na Universidade de C..., onde estávamos sempre juntos. Ele tinha o temperamento comum dos gênios, e era um misto de misantropia, sensibilidade e entusiasmo. A essas qualidades ele uniu o mais caloroso e verdadeiro coração que sempre bateu no peito humano. Observei que seu nome estava afixado em três camarotes e, tendo novamente consultado a lista de passageiros, descobri que ele tinha comprado passagem para si mesmo, sua mulher e duas irmãs dele.

Os camarotes eram suficientemente espaçosos, tendo cada um dois beliches, um por cima do outro. Esses beliches, para falar a verdade, eram tão excessivamente estreitos que neles não cabia mais de uma pessoa; contudo, eu não podia entender por que havia três camarotes para quatro pessoas. Confesso que me encontrava justamente naquela época em um daqueles estados de espírito que tornam um homem anormalmente curioso em questão de ninharias e digo, envergonhado, que me preocupei com variedade de hipóteses indelicadas e absurdas a respeito dessa estória de camarotes excedentes. Na verdade, não era da minha conta; mas esforcei-me pela solução do enigma. Afinal cheguei a uma conclusão que me provocou grande espanto por não a ter descoberto antes: "É uma criada", sem dúvida, pensei eu. Que tolo fui, por não ter pensado em tão evidente solução! E novamente reparei na lista; mas constatei que nenhuma criada acompanhava o grupo, embora, de fato, tivesse sido intenção original trazer uma, pois as palavras "e criada" tinham sido escritas a princípio e depois riscadas.

"Oh, bagagem extra, com certeza", eu disse a mim mesmo — "algo que ele não deseja que seja colocado no porão, algo para ser mantido sob seus próprios olhos, deve ser uma pintura ou algo assim. Pode ser o que ele andou trocando com o Nicolino, um judeu italiano. Essa ideia me satisfez e esqueci minha curiosidade. Conhecia muito bem as duas irmãs de Wyatt, e que moças amáveis e inteligentes eram elas! Ele tinha se casado recentemente, mas eu nunca vira sua mulher. Muitas vezes me falara a respeito dela, porém no seu habitual estilo entusiasmado. Ele a descreveu como de uma beleza, inteligência e realizações incomparáveis. Eu estava, portanto, muito ansioso para conhecê-la.

No dia 14, eu visitei o navio, Wyatt e a família ali estavam também para visitá-lo, assim me informou o capitão, e fiquei esperando a bordo, uma hora a mais do que tinha pretendido, na expectativa de ser apresentado à jovem esposa, mas então recebi uma desculpa. "A Sra. Wyatt estava um pouco indisposta e desistira de vir a bordo, o que só faria no dia seguinte, à hora da partida."

No dia seguinte, seguia eu do meu hotel para o cais, quando o Capitão Hardy me encontrou e me disse que, devido às circunstâncias, o Independência não viajaria antes de um dia ou dois e que, quando tudo estivesse pronto, ele me avisaria. Achei aquilo estranho porque soprava uma constante brisa do sul; mas como as "circunstâncias" não estavam à vista, embora eu as sondasse com a maior perseverança, nada tinha a fazer senão voltar para casa e digerir minha impaciência à vontade.

Esperei quase uma semana pelo recado do capitão. Chegou, afinal, e segui imediatamente para bordo. O navio estava repleto de passageiros e todos se achavam em alvoroço à espera da partida. A família de Wyatt chegou quase dez minutos depois de mim. Lá estavam as duas irmãs, a esposa e o artista, este em um de seus habituais acessos de misantropia temperamental. Eu, porém, estava habituado a esses acessos para dar-lhes qualquer atenção especial. Ele nem mesmo me apresentou a sua mulher, cortesia deixada a cargo de sua irmã Mariana, moça muito delicada e inteligente, que em algumas palavras apressadas, nos tornou conhecidos.

A Sra. Wyatt usava um véu; e quando ela o ergueu, confesso que fiquei profundamente surpreso. Eu deveria ter confiado muito mais no meu amigo, porém, se a longa experiência não tivesse me aconselhado a não confiar, com uma confiança demasiadamente implícita nas descrições entusiásticas de meu amigo, o artista, quando cedendo a comentários sobre a beleza da mulher. Quando a beleza era o tema, eu sabia muito bem com que facilidade ele se alçava às regiões do puramente ideal.

A verdade é que eu não podia deixar de olhar a Sra. Wyatt como uma mulher decididamente nada bonita. Se não era positivamente feia, penso eu que não estava muito longe disso. Vestia-se, porém, com gosto esquisito, e então não tive dúvida de que ela dominara o coração de meu amigo pelas graças da inteligência da alma.

Ela disse poucas palavras e dirigiu-se imediatamente para o seu camarote com o Sr. Wyatt. Minha velha curiosidade então voltou. Não havia criada, este era um ponto estabelecido.

Procurei então a bagagem extra. Depois de alguma demora, chegou uma carroça ao cais com um caixão quadrangular de pinho, que parecia ser a última coisa que se esperava. Imediatamente após sua chegada, partimos e em pouco tempo havíamos saído livremente da barra rumando para o mar.

O caixão em questão era, como eu disse, quadrangular. Tinha quase um metro e oitenta centímetros de comprimento, por noventa de largura. Observei-o atentamente, de modo a poder ser exato. Ora, aquele formato era característico e, logo que o vi, louvei-me pela precisão de minhas suposições. Cheguei à conclusão, deve-se lembrar, de que a bagagem extra de meu amigo, o artista, deveria ser quadros, ou pelo menos um quadro; pois eu sabia que ele estivera durante várias semanas em conferência com Nicolino: e agora aqui estava uma caixa, que, pela sua forma, não poderia conter nada no mundo a não ser uma cópia da "Última Ceia" de Leonardo; e uma cópia desta mesma "Última Ceia", feita por Rubini o mais jovem, em Florença e que desde algum tempo eu sabia estar em poder de Nicolino. Considerado, portanto, esse ponto como suficientemente estabelecido, vangloriei-me bastante ao pensar em minha acuidade. Que eu soubesse, era a primeira vez que Wyatt me escondia algum de seus segredos artísticos; mas aí ele evidentemente pretendia contrabandear debaixo do meu nariz; esperando que eu não percebesse nada. Resolvi questioná-lo, agora e no futuro.

Uma coisa, contudo, me aborreceu bastante. O caixote não foi levado para o camarote excedente. Foi depositado no próprio camarote de Wyatt, e ali ficou, aliás, ocupando quase todo o assoalho, sem dúvida com enorme desconforto para o artista e sua mulher; e isso mais especialmente porque o piche ou a tinta com que fora endereçado, em maiúsculas deitadas, emitia um odor forte, desagradável e, para minha imaginação, caracteristicamente repugnante. Na tampa estavam pintadas as palavras:

SENHORA ADELAIDE CURTIS, ALBANY, NOVA YORK.
AOS CUIDADOS DO SR. CORNÉLIO WYATT.
ESTE LADO PARA CIMA.
CARREGUE COM CUIDADO.

Bem, eu sabia que a Sra. Adelaide Curtis, de Albany, era a mãe do artista, mas então considerei o endereço como uma mistificação, dirigida especialmente para mim. Decidi, é claro, que a caixa e o conteúdo nunca iriam mais longe ao norte do que o estúdio de meu amigo misantrópico, em Chambers Street, Nova York.

Durante os primeiros três ou quatro dias, tivemos bom tempo, embora o vento estivesse forte pela frente, tendo mudado de direção para o norte logo depois que perdemos a costa de vista. Os passageiros se achavam em excelente disposição de espírito e de sociabilidade. Devo fazer exceção, porém, de Wyatt e de suas irmãs, que se conduziam secamente, e não podia eu deixar de observar, descortesmente, para com os demais. Eu não me importava muito com a conduta de Wyatt. Estava taciturno além do costume, mas eu já contava com a excentricidade dele.

Quanto às irmãs, porém, não havia desculpa. Ficavam reclusas nos seus camarotes durante a maior parte da travessia e recusaram-se, absolutamente, a manter comunicação com qualquer pessoa de bordo.

A própria Sra. Wyatt foi muito mais agradável. Quer dizer, ela era tagarela; e ser falador não é recomendado no mar. Ela tornou-se excessivamente íntima com a maioria das mulheres; e, para minha profunda surpresa, não demonstrou nenhuma disposição equívoca de flertar com os homens. Ela divertia muito a todos nós. Digo "divertia", pois não sei como me explicar.

A verdade é que logo descobri que muito mais vezes riam da Sra. Wyatt do que com ela. Os cavalheiros pouco falavam a seu respeito, mas as senhoras, em pouco tempo, acharam que ela era "uma criatura cordial, de um tanto comum, totalmente indelicada e decididamente vulgar". O que causava maior espanto era ter Wyatt caído em tal casamento. A solução geral era o dinheiro, mas isso sabia eu que não resolvia absolutamente nada, pois Wyatt me dissera que ela não lhe trouxera nem um dólar, nem esperava ele nenhum dinheiro de sua parte.

"Ele se casou", disse ele, "por amor, e apenas por amor; e sua noiva era muito mais do que digna de seu amor." Quando pensei nessas expressões, por parte do meu amigo, confesso que me senti indescritivelmente intrigado. Seria possível que ele estivesse perdendo o juízo? O que mais eu poderia pensar? Ele, tão refinado, tão intelectual, tão meticuloso, com uma percepção tão primorosa do defeituoso e uma apreciação tão aguda da beleza! Certamente, a senhora parecia gostar especialmente dele, notavelmente em sua ausência, tornando-se ridícula pelas frequentes citações do que fora dito pelo seu "amado esposo, Sr. Wyatt". A palavra "marido" parecia estar sempre, para usar uma de suas próprias e delicadas expressões, "na ponta de sua língua".

Todos a bordo observavam que ele a evitava o máximo possível e na maior parte do tempo fechava-se sozinho no seu camarote, onde, de fato, podia dizer-se que vivia, deixando sua mulher em plena liberdade de divertir-se como achasse melhor na sociedade dos passageiros do salão principal.

Minha conclusão do que via e ouvia era que o artista, por algum capricho da sorte ou talvez num arrebatamento de entusiástica e fanática paixão, fora induzido a unir-se a uma pessoa inteiramente inferior a ele e que, como resultado natural, não tardara em irromper em um desgosto completo. Eu lamentava do fundo do coração, mas não podia, por esta razão, perdoar-lhe a respeito do sigilo da Última Ceia. Por isso resolvi me vingar. Um dia ele subiu ao convés e, pegando-o pelo braço como fora sempre o meu costume, fui passear com ele. Seu ar melancólico, que considerei perfeitamente natural nas circunstâncias do momento, parecia não ter diminuído. Falou pouco e, assim mesmo, tristemente e com evidente esforço. Aventurei um ou dois gracejos e ele esboçou uma amarela tentativa de sorriso. Pobre rapaz!

Quando pensava em "sua mulher", imaginei que ele teria coragem para até mesmo simular um pouco de contentamento.

Por fim, aventurei uma investida direta. Decidi colocar uma série de insinuações ocultas ou indiretas a respeito do caixão quadrangular, justamente para deixá-lo perceber que eu não era totalmente o alvo ou a vítima de sua de divertida mistificação. Minha primeira observação foi coisa a respeito "da forma característica daquele caixão" e, enquanto pronunciava as palavras, sorria intencionalmente, piscando os olhos e tocando de leve nas costelas com o indicador. A maneira pela qual Wyatt recebeu minha inocente brincadeira convenceu-me imediatamente de que ele estava louco. A princípio olhou para mim como se achasse impossível compreender a graça de minha observação; mas à medida que sua intencionalidade parecia abrir lentamente caminho na sua mente, seus olhos pareciam querer saltar fora das órbitas. Depois ficou muito vermelho e, então horrivelmente pálido e, em seguida, como se intensamente divertido com o que eu tinha insinuado, desatou numa gargalhada desgovernada que, com grande espanto meu, ele manteve, com gradual e crescente vigor, durante dez minutos ou mais. Depois caiu pesadamente sobre o convés. Quando corri para levantá-lo parecia estar morto.

Pedi socorro e, com bastante dificuldade, conseguimos fazê-lo voltar a si. Ao recobrar os sentidos, pôs-se a falar incoerentemente durante algum tempo. Por fim, o sangramos e levamos para a cama. No dia seguinte estava completamente são no que se referia à sua saúde física. Do espírito, porém, não digo nada, sem dúvida. Evitei-o durante o resto da travessia, a conselho do capitão que parecia concordar totalmente comigo a respeito da insanidade de Wyatt, mas preveniu-me que não tocasse nesse assunto com nenhuma pessoa no navio.

Circunstâncias várias ocorreram logo após aquele ataque de Wyatt, as quais contribuíram para aumentar a minha curiosidade. Entre outras coisas a seguinte: eu tinha estado nervoso, bebi muito chá verde, e à noite dormi mal; de fato, durante duas noites, não podia dizer propriamente que havia dormido. Ora, meu camarote abria-se para o salão principal ou sala de jantar, como todos os camarotes de solteiro.

Os três quartos de Wyatt ficavam na cabine posterior, separada da principal por uma pequena porta de correr, nunca trancada nem mesmo à noite. Como estávamos quase constantemente com vento, e a brisa não era muito forte, o navio adernou consideravelmente para sota-vento; e sempre que seu lado estibordo estava a sota-vento, a porta deslizante entre as cabines se abria, e assim permaneceu, pois ninguém se dava ao trabalho de levantar para fechar. Mas meu beliche estava em tal posição que quando a porta do meu próprio camarote estava aberta, bem como a porta corrediça em questão, e minha própria porta estava sempre aberta por causa do calor, eu podia avistar o interior do compartimento de trás, e justamente a parte dele, onde se achavam situados os camarotes do Sr. Wyatt.

Pois bem, durante duas noites, não consecutivas, enquanto eu permanecia acordado, vi claramente a Sra. Wyatt, por volta das onze horas de cada noite, sair furtivamente do camarote do Sr. Wyatt e entrar no camarote extra, onde permanecia até a madrugada, quando era chamada pelo marido e regressava. Era claro que eles estavam separados. Estavam em aposentos separados, sem dúvida na perspectiva de um divórcio; e ali, afinal de contas, pensava eu, estava o mistério do camarote extra.

Havia outra circunstância também que me intrigou bastante. Durante as duas noites de vigília em questão e imediatamente após o desaparecimento da Sra. Wyatt no interior do camarote extra, fui atraído por certos rumores estranhos, cautelosos e sumidos de seu marido. Depois de ter ficado à escuta por algum tempo, com muita atenção, consegui por fim compreender perfeitamente o significado. Eram sons causados pelo artista, ao levantar a tampa do caixão quadrangular, por meio de um cinzel e martelo, este último aparentemente abafado, ou amortecido, por alguma lã macia ou substância de algodão em que sua cabeça estava envolvida.

Dessa forma imaginei que podia distinguir o momento preciso em que ele despregasse a tampa, bem como que podia determinar quando ele a abrisse completamente e quando a depositasse sobre o beliche inferior do seu camarote. Descobri este último ponto, por causa de certas pancadas leves que a tampa deu ao bater contra as extremidades de madeira do beliche, quando ele tentava depositá-la bem devagar, pois não havia lugar para ela no assoalho.

Depois disso, houve um silêncio mortal e nada mais eu ouvi, até quase o raiar do dia, a menos que deva talvez fazer menção de um leve soluço ou murmúrio, tão contido que quase se tornava inaudível, se é que na realidade esse último ruído não tinha sido produzido apenas na minha própria imaginação. Digo que parecia assemelhar-se a um soluço ou suspiro, mas sem dúvida podia não ser uma coisa nem outra. Acho antes que foi um estalido nas minhas próprias orelhas. O Sr. Wyatt, sem dúvida, de acordo com o costume, estava simplesmente dando rédeas a uma de suas manias, comprazendo-se em um de seus impulsos de entusiasmo artístico. Abrira o caixão quadrangular a fim de contemplar o tesouro que ali se achava. Nada havia nisto, porém, que o fizesse soluçar. Repito que deve ter sido simplesmente um capricho de minha própria imaginação, destemperada pelo chá verde do bom Capitão Hardy.

Precisamente antes do alvorecer, em cada uma das duas noites, ouvi de modo distinto o Sr. Wyatt colocar a tampa sobre o caixão quadrangular, e recolocar os pregos nos lugares usando o martelo. Tendo feito isso ele saiu de seu camarote, completamente vestido, e foi até o da Sra. Wyatt.

Havia sete dias que navegávamos e havíamos passado o cabo Hatteras, quando sobreveio um vendaval, tremendamente pesado, proveniente do sudoeste.

Estávamos, de certo modo, preparados para ele, pois o tempo já se tinha mostrado ameaçador algumas vezes. Tudo tinha sido posto em ordem, e quando o vento rapidamente refrescou, colhemos as velas, afinal, ficando apenas com a mezena e a gávea do traquete, ambas em duplos rizes.

Nessa aparelhagem navegamos bem a salvo durante quarenta e oito horas, o navio provou ser excelente em muitos aspectos, e não transportou água de qualquer importância. No final desse período, porém, o vendaval se transformou em furacão, e nossa vela se partiu em tiras, trazendo-nos tanto no vale da água que embarcamos em vários mares prodigiosos, um imediatamente após o outro. Por este acidente, perdemos três homens ao mar com o vagão e quase todos os baluartes de bombordo. Mal tínhamos recuperado os sentidos, a vela da proa se despedaçou, quando nos levantamos uma tempestade a vela e com isso se saiu muito bem por algumas horas, o navio rumando para o mar com muito mais firmeza do que antes.

O temporal, contudo, ainda continuava e não víamos sinais de que amainasse. Observou-se que o velame estava mal mareado e esticado; e no terceiro dia do vendaval, cerca das cinco horas da tarde, nosso mastro de mezena, numa pesada guinada para barlavento, caiu. Durante uma hora ou mais, tentamos, em vão, desembaraçar-nos dele, por causa do jogo do navio, e antes de conseguirmos, havia mais de um metro de água no porão. Para piorar, verificamos que as bombas estavam entupidas e danificadas.

Era desesperador, mas muito esforço foi feito para aliviar o navio, lançando ao mar tudo quanto se pôde encontrar de sua carga e cortando os dois mastros restantes. Conseguimos afinal fazer tudo isso, mas achávamo-nos ainda impossibilitados de utilizar as bombas e a entrada de água aumentava muito depressa.

Ao pôr do sol, o vendaval diminuiu sensivelmente, à medida que o mar afundava com ele, ainda tínhamos tênues esperanças de nos salvar nos barcos. Às oito da noite, as nuvens se afastaram para barlavento, e tivemos a vantagem da lua cheia, uma boa sorte que serviu para alegrar nossos espíritos abatidos.

Depois de incrível trabalho conseguimos por fim lançar o bote sem acidente material, e dentro dele se amontoaram toda a tripulação e a maior parte dos passageiros. Esse grupo afastou-se imediatamente e, depois de suportar muitos sofrimentos, chegou a final a salvo, à baía de Ocracocke, no terceiro dia após o naufrágio.

Catorze passageiros, com o capitão, ficaram a bordo, resolvendo confiar sua sorte ao bote da popa. Nós o baixamos sem dificuldade, embora só por milagre evitássemos de alagar ao tocar a água. Levava, quando flutuava, o capitão e sua esposa, o senhor Wyatt e seu grupo, um oficial mexicano, esposa, quatro filhos e eu, com um criado.

Não tínhamos lugar, sem dúvida, para qualquer outra coisa, à exceção de poucos instrumentos, necessários, algumas provisões e as roupas que usávamos. Ninguém pensara em tentar salvar alguma outra coisa mais. Qual não foi o espanto de todos quando, tendo-nos afastado um pouco do navio, o Sr. Wyatt, de pé na escota de popa, pediu friamente ao Capitão Hardy que fizesse o bote voltar para ir buscar o seu caixão quadrangular.

— Sente-se, Sr. Wyatt — replicou o capitão, um tanto severamente. — O senhor nos fará ir ao fundo se não ficar completamente quieto.

— O caixão! — gritou o Sr. Wyatt, ainda de pé. — Capitão Hardy, o senhor não pode, o senhor não poderá recusar levá-lo. Seu peso será uma ninharia... simplesmente nada. Pela mãe que o deu à luz, pelo amor de Deus, pela esperança de sua salvação... imploro que volte para buscar o caixão!

O capitão, por um instante, pareceu comovido pelo fervoroso apelo do artista, mas recuperou sua atitude grave e disse simplesmente:

— Sr. Wyatt, o senhor está louco... Sente-se, digo-lhe, ou fará virar o bote! Fique aí.... Segurem-no! Ele vai cair ao mar... Pronto! Já sabia... caiu!

Enquanto o capitão dizia isso, o Sr. Wyatt, efetivamente, pulou fora do bote e, como estivéssemos ainda a sota-vento do navio naufragado, conseguiu, quase que graças a um esforço sobre-humano, amarrar uma corda que pendia das correntes da proa.

No instante imediato ele estava a bordo correndo para o camarote.

Tínhamos sido arrastados para a popa do navio e, estando completamente fora de seu sota-vento, ficamos à mercê das tremendas ondas. Fizemos muito esforço para voltar, mas nosso pequeno barco era como uma pena ao sopro da tempestade. Vimos, em um relance, que a sentença do desventurado artista fora lavrada.

À medida que nossa distância do navio naufragado aumentava rapidamente, o louco saindo da escada do convés, arrastando, à custa de um esforço que parecia verdadeiramente gigantesco, o caixão quadrangular.

Enquanto olhávamos no auge do espanto, ele passou rapidamente várias voltas de uma corda de três polegadas, primeiro, em torno do caixão, e depois, em torno de seu corpo.

Logo depois, corpo e caixão caíram ao mar, desaparecendo subitamente, imediatamente e para sempre.

Retardamos por um momento, com tristeza, nossas remadas, com os olhos fixos naquele ponto. Afinal, afastamo-nos. Ficamos em silêncio durante uma hora. Por fim, fiz uma observação.

— Reparou capitão como eles afundaram repentinamente? Não foi isso uma coisa muito singular? Confesso que tive esperança de sua salvação, quando o vi amarrar-se ao caixão e lançar-se ao mar.

— Era natural que afundassem — replicou o capitão — e sem demora. Em breve, porém, subirão à tona de novo, quando o sal se derreter.

— O sal! — exclamei.

— Psiu! — disse o capitão, apontando para a mulher e as irmãs do morto.

— Falaremos a esse respeito em ocasião mais oportuna.

Sofremos muito e escapamos por um triz, mas a sorte protegeu-nos bem como aos nossos companheiros do outro bote. Chegamos em terra, afinal, mais mortos do que vivos, depois de quatro dias de intensa angústia, na praia fronteira à ilha de Roanoke.

Permanecemos ali uma semana, não fomos maltratados pelos aproveitadores de naufrágios e, por fim, conseguimos passagem para Nova York.

Cerca de um mês depois da perda do Independência, encontrei o Capitão Hardy na Broadway. Nossa conversa foi a respeito do naufrágio e, de modo especial, para o triste destino do pobre Wyatt. Foi assim que vim a conhecer os seguintes detalhes:

O artista havia comprado passagem para si mesmo, sua duas irmãs e uma criada. Sua esposa era, realmente, como descrevera, a mais amável e mais perfeita mulher. No dia 14 de junho, dia em que visitei pela primeira vez o navio, a mulher subitamente adoeceu e morreu. O jovem marido ficou desesperado, mas circunstâncias imperiosas o impediam de adiar sua viagem para Nova York. Era preciso levar para sua sogra o cadáver de sua adorada esposa, e, por outro lado, o universal preconceito que o proibia de fazê-lo tão abertamente era bem conhecido. Muitos passageiros teriam abandonado o navio, se soubessem da existência de um cadáver.

Neste dilema, o Capitão Hardy resolveu que o corpo, depois de parcialmente embalsamado e coberto de grande quantidade de sal, fosse colocado num caixão de dimensões adequadas e transportado para bordo como mercadoria. Nada deveria ser dito da morte da senhora; e, como era bem sabido que o Sr. Wyatt tinha comprado passagem para sua mulher, tornou-se necessário que a substituísse durante a viagem. A criada da morta prestou-se facilmente a fazê-lo.

O camarote extra, primitivamente tomado para essa moça, enquanto vivia sua patroa, foi então simplesmente conservado. Naquele camarote, dormia todas as noites, é evidente, a esposa falsa. Durante o dia ela representava, o melhor que podia o papel de sua patroa, que como fora cuidadosamente apurado, era desconhecida de todos os passageiros de bordo.

Meu próprio erro surgiu, naturalmente, por causa de um temperamento muito descuidado, muito curioso e muito impulsivo. Mas, ultimamente, é raro dormir profundamente à noite. Há um semblante que me assombra, por mais que eu não queira ver. Há uma risada histérica que sempre soará em meus ouvidos.